Paroles d'Irakiennes

Le drame irakien écrit par des femmes

Présentation de textes

Traduit de l'arabe
par Mohammed Al Saaai

Lorna, ses années avec Jawad Salim,
Dar al-Jadid, Beyrouth, 1998 (en arabe).

Inaam Kachachi

Paroles d'Irakiennes

LE SERPENT A PLUMES

N° ISBN : 2-84261-434-8

LE SERPENT A PLUMES

20, rue des Petits-Champs - 75002 Paris
http://www.serpentaplumes.com

À Hala

La légende dit que Shéhérazade,
Dans le Bagdad des Mille et Une Nuits,
A trompé la mort avec le récit
Le soir, elle commençait un conte
Et cessait aux aurores la parole consentie

Ses petites-filles, aujourd'hui, usent
À peu près de la même ruse :
Elles trompent le destin avec des écrits
Qui en disent plus vrai
Que tous les bulletins du monde

J'ai souhaité vous transmettre ces récits trompe-destin. Ils méritent d'être lus, au même titre que les hymnes que, depuis toujours, fredonnent pour la liberté les damnés de la Terre.

Inaam Kachachi
Paris, janvier 2003.

Une ration de riz, de sucre, de savon… et de soucis

Ce n'est pas moi qui ai écrit ces paroles.

Elles se sont imposées à ma plume, alors que je feuilletais les pages qu'écrivent les femmes irakiennes par le sang et les larmes. Depuis notre première guerre du Golfe, puis notre deuxième guerre du Golfe. En attendant la troisième, constamment évoquée, imminente, menaçante, aux aguets.

En Irak, l'on est rompu à l'exercice d'écrire avec le sang. Sans doute parce qu'il est devenu moins cher que l'encre. Avec du sang, les amoureux écrivent leur déclaration d'amour. Avec du sang, le peuple écrit ses déclarations d'allégeance au Président. Lequel des deux croire ?

Pour ma part, j'aime à croire en ce qu'écrivent les femmes irakiennes sur du papier. Ce papier devenu tellement rare à se procurer. Je sais que chacune d'elles a déjà vécu l'équivalent de dix vies en douleurs et angoisse. Une fois par mois, elle se plante devant l'épicerie, attendant sa ration familiale (tout est distribué avec des coupons depuis le blocus imposé au pays en 1990). Chaque mois, le même rituel. Interminable file d'attente pour deux kilogrammes de riz, une bouteille d'huile, cinq cents grammes de sucre, autant de thé, deux savonnettes. Et un bol de soucis.

De retour à la maison, la romancière ou la poétesse pose riz, huile, sucre, thé et savonnettes sur la table de la cuisine. Et le bol de soucis, sur la table à écrire. Elle est en quête perpétuelle d'exutoire, de catharsis ; elle ne peut renoncer, se soumettre à la loi du silence. La femme irakienne a toujours déclamé des poèmes. Enkhidoana (2370-2316 av. J.C.), fille du roi Sargon l'Akkadien, fut la première à signer des poèmes.

Un censeur dans la tête et d'autres dehors

Comment donc pourraient se taire celles qui ont appris à s'exprimer depuis tant de millénaires ? « À chaque circonstance, son article », dit un proverbe arabe. La situation qui prévaut en Irak depuis une vingtaine d'années a crée les conditions d'un nouveau langage, en conséquence, un langage qui soit à la hauteur du drame… sans faire couper la langue à celui ou celle qui le profère.

Écrire, c'est déjà difficile en soi. Et cela le devient d'autant plus lorsque la femme écrivain affronte une cohorte de censeurs extérieurs « institutionnels » : politique, morale, religion, famille, patrie, nation, outre son censeur intérieur, celui qui hante nos crânes depuis la naissance.

Les chroniqueurs de Mésopotamie racontaient qu'au pays de Sumer, au sud de l'Irak actuel, une langue avait été inventée spécifiquement pour les femmes, qui l'utilisaient dans leurs assemblées. De même, dans les épopées et les écrits littéraires, les citations de femmes étaient formulées avec ce parler de femmes. Avec le temps, celui-ci était employé par les gens de lettres des villes sumériennes, avant de se fondre dans le dialecte courant de l'époque pour former la langue dans laquelle ont été consignés les manuscrits religieux et littéraires de l'antique Babylone. Cette langue de femmes s'appelait *lisani saliti,* littéralement *langue bien pendue,* langue de querelle et de chamaillerie.

C'était il y a cinq milles ans. Aujourd'hui, les femmes d'Irak n'ont plus le verbe aussi acerbe, ni l'esprit querelleur, ni l'humeur chamailleuse. Pour autant, elles n'ont pas entièrement avalé leur langue. Pour preuve, ces écrits qui nous parviennent par-delà les remparts du blocus, et qui disent de la guerre ce que ne disent pas les bulletins d'information et les reportages des correspondants, ni les rapports des représentants de la Croix-Rouge, ni ceux des inspecteurs de l'ONU, ni ceux des militants des droits de l'homme...

Il est tentant de penser que les guerres engendrent une littérature féminine particulière, qui traduit une vision des choses différente de celle des hommes écrivains. Il en va ainsi des femmes irakiennes, qui vivent à leur manière les épreuves récentes, dont l'implacable blocus. On a l'impression que l'homme est sidéré par ce qui se passe dehors et que son œuvre s'articule autour de son implication, volontaire ou imposée, dans les événements ; tandis que la femme est, elle, sidérée par ce qui se passe en son for intérieur, en celui de ses enfants et en celui de son homme, lui-même stupéfait par le monde extérieur.

Aucun Irakien apte au service n'a échappé à l'uniforme, jeune homme à peine sorti de l'adolescence, jeune vieux ou vieux jeune. Aucune œuvre d'homme n'est exempte de l'odeur du sang et de la poudre. La sémantique de la littérature masculine regorge de vocabulaire militaire (front, fusil, commandement, brigade, régiment, casque, canon, compagnie, mitrailleuse, tranchées, casemate... victoire).

Cependant, les femmes écrivains irakiennes ne peuvent, elles non plus, s'extraire de l'ambiance de guerre. Seulement, elles l'appréhendent sous les angles qui les intéressent. Globalement, elles évoquent l'éloignement, la solitude, la peur, la réclusion, l'exil... les amères victoires. Derrière des vitres donnant sur la rue, elles dépeignent des fenêtres peintes de bleu, des cauchemars nocturnes et des rêves brisés ; elles invoquent l'homme absent, l'homme métamorphosé et déformé par la guerre.

INTRODUCTION

Ce petit-fils qui use un crayon
tous les deux mois

Non, certes, écrire n'est pas facile. Mais, en Irak, écrire devient de nos jours un véritable exploit quand on sait les incommensurables difficultés, matérielles et éthiques, causées par la guerre – les deux guerres –, et surtout l'embargo. Par ailleurs, l'édition est une mission quasi impossible dans un pays qui manque de papier, d'encre, de pièces détachées pour les imprimantes. Et de cette belle rose aux pétales rayonnants, partout convoitée : la liberté d'expression.

Là-bas, après avoir couché les enfants, les femmes écrivent dans l'obscurité des sempiternelles coupures d'électricité. L'inspiration atteint des yeux fatigués et ternes. Des yeux ne pouvant plus s'offrir un stylo de kohol importé, au prix exorbitant : autant que cent stylos à bille, trois poulets ou quatre-vingt galettes de pain. Un salaire mensuel entier, en somme !

Les Irakiens écrivent sur du papier brun, déchet des imprimeries, sur des feuilles qui ont déjà servi, sur les vieux cahiers scolaires périmés des enfants. Ils consignent telle strophe de poème ou tel passage de roman sur tout ce qui se plie : un vieux reçu, une facture non payée, un sachet kaki froissé qui, naguère, a apporté des fruits à la maison (enfin, ceux qui ont pu s'en offrir, un jour). Ils écrivent même au verso d'une ordonnance de médecin...

Une journaliste de mes anciennes consœurs m'a raconté comment elle avait puni son petit-fils avant de se retirer pour pleurer dans sa chambre. Elle lui avait administré une tape sur la main parce qu'il taillait un crayon avec prodigalité, insouciant de la peine qu'elle éprouvait à acquérir le précieux article : les crayons aussi sont soumis à l'embargo, ces Messieurs des commissions onusiennes avançant que « le graphite contenu dans les crayons pourrait être détourné à des fins militaires » (sic).

Désormais, cette amie journaliste dirige un service au sein d'un quotidien gouvernemental. Pour l'équivalent d'une petite poignée d'euros par mois. Elle, qui a terminé ses études à l'université il y a une trentaine d'années, a dû priver sa fille unique de poursuivre les siennes, faute de moyens : inscription, transport, habillement, fournitures... tout cela est inabordable. La fille s'est mariée avant d'atteindre sa vingtième année. Elle a mis au monde un garçon, un garnement qui use tout un crayon entier tous les deux mois. Quel gâchis !

J'entretiens encore une correspondance assidue avec elle. Dans chaque lettre, je joins une feuille blanche pour lui permettre d'écrire la réponse. Envoyer un cahier serait trop aléatoire : un pli lourd risquerait d'attirer l'attention et d'être volé avant la distribution ; ma lettre ne parviendrait pas à sa destination finale, et ce serait bien dommage. Le meilleur moyen, c'est encore de confier le nécessaire à un voyageur se rendant à Bagdad. Et l'acception de ce *nécessaire* est une question d'appréciation pour nous, privilégiés prodigieusement chanceux qui avons pu nous établir à l'étranger. Pour eux, là-bas, ce *nécessaire* peut aller d'un sachet de coton-tige ou une boîte d'aspirine jusqu'au dernier recueil du poète palestinien Mahmoud Darwish.

Mon amie, par exemple, préférerait le livre de Darwish. Finalement, c'est une question de remède contre la migraine, dans tous les cas. Les milieux culturels irakiens reçoivent les livres entrés subrepticement de l'étranger avec un enthousiasme semblable à celui qu'éprouverait une terre assoiffée recevant quelques gouttes d'une pluie parcimonieuse et sporadique. Il existe, en Irak, tout un système parallèle, non officiel – et échappant souvent au contrôle des autorités – qui consiste à s'emparer des livres en provenance de l'extérieur, à les « cloner » sur de petits photocopieurs d'occasion récemment arrivés des

Émirats Arabes Unis par voie de mer, puis à revendre les copies aux écrivains, amateurs d'arts et de lettres, universitaires ou étudiants.

Le prix de ces copies est abordable pour le budget moyen. Cependant, ce système de librairie parallèle offre également des services de location de copies à ceux qui ne peuvent les acheter. Grâce à ce que la rue de Bagdad appelle « la culture de la photocopie », le public irakien a pu connaître des œuvres (d'auteurs étrangers ou nationaux) qui n'avaient pas été soumises à l'institution publique, celle-là même qui, depuis trente-cinq ans, monopolise quatre-vingt-dix pour cent du marché de l'édition et de la distribution en Irak.

C'est ainsi qu'ont été photocopiés des dizaines d'ouvrages de référence et d'encyclopédies scientifiques, indispensables aux études universitaires et supérieures. À tel point que le patron d'une grande maison d'édition de Beyrouth a effectué le voyage à Bagdad pour négocier avec les seigneurs du « marché de la photocopie », les enjoignant d'augmenter le prix des copies, devenu trop concurrentiel pour l'encyclopédie originale qu'il édite.

Il n'est pas question – cela va de soi – de parler de piratage en l'occurrence. Tout un peuple de vingt millions d'âmes est piraté depuis une douzaine d'années ; et nul ne se soucie de ses droits d'auteur. Que pèse le prix de deux livres, ou cent ou mille, face au prix de la vie détournée d'une génération entière ?

Livres copiés, soit. Mais rapiécés ?

Pour moins de trois milles dinars (soit un seul petit dollar), la poétesse, la romancière ou la nouvelliste irakienne peut faire taper son livre, puis le photocopier et le distribuer à son entourage, une copie à tel ami, une autre à telle parente… jusqu'à épuisement du « stock » de cent copies. Les jeunes écrivains irakiennes ont peut-être ainsi « résolu » un de leurs petits problèmes. Mais comment résoudre notre problème de culpabilité, nous qui vivons à l'étranger et écrivons, par exemple, aux terrasses des cafés parisiens. À la dame-pipi, nous réglons quarante cents, voire un demi-euro, à chaque visite des toilettes. Faites le calcul. Il est simple mais – ô combien ! – significatif : deux ou trois petits besoins à Paris valent l'édition d'un recueil de poésie à Bagdad !

N'allez pas croire, cependant, que les écrivains qui parviennent quand même à faire éditer leur livre par une véritable maison d'édition sont bien mieux lotis, car l'imprimerie est de la plus mauvaise qualité dans l'Irak actuel. Récemment, j'ai reçu un recueil de la poétesse Siham Jabbar. Cette doctoresse ès langue arabe et critique littéraire émérite a la chevelure voilée ; et l'esprit, ouvert. Son ouvrage, imprimé à Bagdad, est le premier livre *rapiécé* que j'aie jamais vu. Elle a elle-même « ressemelé » les passages illisibles (trop d'encre ou pas assez) en collant de petits bouts de papier dessus et en réécrivant les passages manquants à la main !

Que recèle ce recueil, intitulé *La poétesse,* à l'aspect si pitoyable ? De brefs vers-clins d'œil sur cette guerre qui arrache les enfants à leurs mères, au point de devenir – elle, la guerre – la *vraie* mère, qui les porte, les enfante et les enterre ; les mères « biologiques » se contentent de les élever, en *nounous* silencieuses et résignées, pour qu'ils deviennent des martyrs couverts de lauriers de gloire.

Siham Jabbar évoque une guerre qui n'épargne personne : même les rescapés sont morts, en quelque sorte. Du fin fond du drame, elle parle aussi de Simone de Beauvoir quittant le Théâtre des Marionnettes. Et de cette Ève qui n'est pas sortie d'une côte d'Adam, mais qui vaut « un homme et des poussières » et paie de sa vie ce *surplus.* À un moment de lucidité, Jabbar s'inspire de la légende de l'empereur nu dont la cour louait la beauté de l'habit, par hypocrisie ou par crainte. Elle s'adresse à cet empereur habillé de nudité et lui dit :

Mourir, une tenue vestimentaire seyante
Ô vous, Monsieur Nu

Voir dans l'obscurité comme Audrey Hepburn

Les Irakiennes crient dans une vallée où personne ne les entend, prêchent dans un désert sans fidèles, écrivent dans un pays qui ne peut s'octroyer le luxe de les lire. Dans *Un homme derrière la porte,* roman publié en 1994, la romancière et nouvelliste Maysaloun Hadi dépeint une femme qui attend un homme absent. Pour tuer l'ennui de cette morne espérance, elle tente de se divertir dans le noir, lors des nombreuses et longues coupures de courant électrique.

Elle se rappelle Audrey Hepburn jouant une aveugle courageuse venant à bout d'un intrus criminel et doté, lui, de toute sa vue (dans *Wait until dark*). « *Comment*, fait dire Maysaloun Hadi à son héroïne, *ai-je bien pu croire que le film était tiré de faits réels ?* » Rien n'est réel dans ces productions qui amplifient la force et exagèrent la faiblesse. « *Je n'ai jamais vu un film dont les héros se comportent, parlent ou rient comme je le fais dans la vie. Eux commandent un thé qu'ils ne boivent jamais et tournent honteusement le dos à leurs interlocuteurs. Et que dire de ces critiques spécieux qui se croisent les jambes dans d'ennuyeux débats pour nous déclarer que l'art ne ressemble pas à la vie, qu'il la reformule pour en donner la meilleure image !* »

Dans une nouvelle, *Les Yeux noirs**, Maysaloun Hadi choisit encore une fois de raconter le cauchemar actuel des Irakiens à travers une jeune héroïne. La guerre lui a pris Hazem, son bien-aimé. Yamama – c'est ainsi qu'elle s'appelle – fait un rêve. Elle s'y voit se rendant à la grande place des fêtes lorsqu'une voix l'interpelle. Il s'agit d'une jeune femme qui lui tend

---

* Paru aux éditions Dar al-Shurouq, Amman (Jordanie), 2002.

un « colis » enveloppé de drap blanc et la supplie de le prendre. Yamama lui demande:

« *Mais pourquoi trembles-tu ?*

– *Je dois enterrer mon fœtus* », répond-elle en pleurant.

Yamama contemple alors le visage effrayé et défait de la jeune femme et prend conscience que quelque chose de terrible vient d'arriver à celle-ci:

« *Que s'est-il passé ?*

– *Les vitres de notre maison ont volé en éclat durant le raid. Mon mari n'est pas là; il est au Koweït. En me relevant, j'ai ressenti des douleurs atroces à l'estomac. Je me tortillais seule sur le sol de la salle de bains. Je venais de perdre mon enfant.* »

La jeune femme refuse de se rendre à l'hôpital de crainte qu'on ne s'occupe pas correctement du corps de son bébé. « *Ils vont sans doute le jeter à la poubelle si je le leur donne.* » Elle veut l'enterrer. Ensuite, elle demande à Yamama où elle va:

« *Je m'en vais arrêter cette guerre.*

– *Alors prends le bébé avec toi.* »

Yamama prend le fœtus enveloppé dans le drap blanc. Avant qu'elle parte, la jeune mère l'interroge:

« *Comment vas-tu l'appeler*

– *Je vais l'appeler Hazem.* »

Avant de partir à la grande place des fêtes, Yamama se retourne vers l'inconnue et lui demande:

« *En fait, comment t'appelles-tu ?*

– *Yamama.* »

Certes, nul ne choisit son propre prénom. Une fois adultes, nous découvrons la signification et la particularité du petit nom dont nous ont gratifié nos parents. Sans doute préférons-nous qu'il évoque une fleur, un saint, un héros de légende, et ainsi de suite. Mais une bataille? Qui plus est perdue!

C'est le cas de notre romancière: Maysaloun est le nom d'une bataille importante dans l'Histoire arabe contemporaine. Elle s'est déroulée en 1920, au lieu-dit Maysaloun, à l'ouest de Damas, opposant les armées française et syrienne. La confrontation s'est terminée par la mort du chef arabe Youssef Al-Azama. La défaite a obligé le prince Fayçal à renoncer au trône de Syrie. (En contrepartie, les Anglais le porteront sur le trône d'Irak, où il deviendra le roi Fayçal Ier.)

Écrire pour cueillir la... makruma

Une femme vivant du souvenir d'un homme que lui a pris la guerre ou la tentation de l'exil: voilà le personnage féminin le plus récurrent dans bien des œuvres actuelles, romans ou nouvelles, de femmes de lettres irakiennes. Telle l'héroïne de *Dans le miroir,* d'Ibtissam Abdallah. Cette dernière est native de Kirkuk, « la ville des flammes éternelles » (ainsi surnommée en raison de l'embrasement, au contact de l'air, de son pétrole jaillissant du ventre de la terre depuis la nuit des temps; ce pétrole au sujet duquel les Irakiens ne se lassent de s'interroger : est-ce une bénédiction… ou une malédiction ?). Ancienne animatrice d'une émission de télévision à succès, Ibtissam Abdallah a également exercé le métier de journaliste et traducteur (entre autres, elle a traduit les mémoires de Theodorakis et d'Angela Davis, ainsi que le scénario de *Sonate d'automne* d'Ingmar Bergman). Elle a également publié plusieurs romans, dont le dernier lui a valu une récompense de la part du président irakien.

D'ailleurs, le président Saddam Hussein s'est lui-même essayé au roman : trois livres dont il serait l'auteur ont été publiés ces dernières années, avec, pour seule signature, la mention *Par son auteur,* sans autre précision sur l'identité de l'écrivain. Dans la foulée, il avait convoqué certains professionnels de l'écriture, dont notre romancière, et leur a solennellement signifié son désir de les voir écrire des romans spécifiquement inspirés de la réalité quotidienne exceptionnelle de l'Irak sous embargo.

Qui oserait décliner une requête du raïs, ni même se montrer peu enthousiaste ou traînant des mains ? À peine quelques mois plus tard, les romans commandés ont commencé de paraître. Et leurs auteurs d'obtenir la fameuse *makruma** prési-

---

* Allocation financière exceptionnelle, souvent généreuse, accordée par le président à certaines personnes pour un service rendu, un mérite particulier…

dentielle, d'un montant de dix millions de dinars irakiens par écrivain, soit environ cinq mille euros. Une fortune, de nos jours, en Irak, où la dévaluation monétaire, amorcée en 1990, a été l'une des plus vertigineuses de l'Histoire.

Revenons à l'œuvre qui nous intéresse d'Ibtissam Abdallah, *Dans le miroir*. Elle décrit une épouse de combattant qui observe à la loupe les transformations progressives de son mari, au fil des permissions de celui-ci. La lente métamorphose de l'époux enrégimenté ne touche pas uniquement l'intérieur – habitudes, mœurs, humeur, comportement avec autrui… – mais altère jusqu'à son aspect physique. À chaque retour du front, son visage change imperceptiblement, mais assez nettement pour quelqu'un qui le connaît intimement. Durant ses séjours parmi les siens, il se regarde longuement dans le miroir. « *Comme mes traits ont changé !* », martèle-t-il. Il se sent comme étranger dans un Bagdad bruyant de rires stridents, éblouissant de néons, insouciant dans le regard et nonchalant dans la démarche.

« *Là-bas*, confie-t-il à sa femme, *je sais qui je suis, je sais ce que je veux : tuer ou être tué. Ici, mes certitudes se dissipent. La quiétude parmi vous m'attire vers la maison, vers toi, vers notre vie paisible d'antan, les joies qu'elle nous a procurées…* » Et il avoue : « *Cette attirance me fait peur* ». Permission après permission, son visage se transforme, perd de sa couleur. En le voyant, sa femme pense aux visages de comédiens japonais dissimulés sous de lourds masques blancs, « *des visages horriblement pâles, quasi inanimés* ».

Lui demeure prostré six jours durant, ne mangeant presque plus rien, hagard, immobile si ce n'est pour d'inéluctables besoins. Au septième jour, il attrape le miroir, s'y regarde et constate que sa pâleur s'amplifie à vue d'œil et que sa couleur s'éteint, puis dit à sa femme : « *Comme j'ai changé !* » Pour le rassurer, elle tente de mentir en assurant que c'est le miroir qui ment. Il le lui jette alors à la figure. Le miroir se brise en mille morceaux « *et une longue plaie a lardé ma poitrine ; du sang a coulé entre nous* ».

Hayat dit son dernier mot et se suicide

Elle s'appelait Hayat Sharara.

Hayat, en arabe, signifie *Vie.* Mais elle avait décidé de se brouiller avec son prénom et de passer d'un bond de vie à trépas. Elle a offert une cérémonie macabre, avec ses deux propres filles pour « invitées ». Non sans avoir laissé le manuscrit de l'un de ces textes qu'il est impensable d'oser publier de son vivant dans un pays comme le nôtre.

Au milieu des années 1990, en pleine période de souffrance et d'épreuve, la romancière Hayat Sharara, par ailleurs brillant professeur d'université, a clos le chapitre de sa vie, tandis que toutes les

portes de l'espoir lui avaient été cruellement cla-
quées au nez. Décision atrocement difficile. Bien
que le déroulement de l'acte demeure encore
entouré de mystère – pour des considérations
d'ordre politique, social ou religieux –, la mère et
les deux filles seraient, selon toute vraisemblance,
entrées dans la cuisine de la maison familiale,
auraient fermé portes et fenêtres, colmaté les issues,
puis ouvert le robinet de gaz. Toujours est-il que
Hayat Sharara et l'une de ses deux jeunes filles sont
mortes. L'autre fille a survécu.

Le manuscrit du roman, un poignant témoignage posthume, parviendra à l'étranger et sera
publié à Beyrouth, sous le titre *Lorsque les jours
deviennent crépuscule*. L'histoire, qui frôle le cau-
chemardesque, relate le climat délétère dans les
milieux universitaires irakiens, où les valeurs sont
bouleversées ; la rigueur scientifique, vouée aux
gémonies ; la peur, pesante ; les voix, muselées. Et
où certains étudiants se chargent d'espionner leurs
propres enseignants.

Entre autres sujets, le roman s'attaque aux difficultés pécuniaires quotidiennes dont souffrent les
intellectuels irakiens. L'un des personnages, un
professeur d'université, avoue comment son vœu le
plus « cher » serait de pouvoir acheter des biscuits
au kilo et de les emporter avec lui à la faculté pour
les manger à la pause-thé. Il voit sa vie et celle de
ses concitoyens remplies *tous les jours* de bannières

noires semblables à celles que, normalement, l'on étale durant la seule période d'*Achoura* pour commémorer le martyre de l'imam Hussein.

« *J'ai l'impression*, dit-il, *que ce que nous vivons est l'œuvre d'un magicien, et non la suite de la guerre du Koweït. Tout est si absurde, si apocalyptique... Comment les prix peuvent-ils donc être multipliés par mille en quatre ans ? Comment les haricots, les pois chiche et les lentilles, qui étaient des mets de pauvres, sont-ils devenus hors de notre portée, à nous autres professeurs d'université ? C'est que nous sommes bien contents d'en avoir, maintenant ! Comment la valeur de la science a-t-elle bien pu s'effondrer de la sorte pour ne plus devenir qu'un besoin moral ? C'est comme si on nous avait collectivement jetés du haut d'une falaise. Chaque chose a une couleur de surnaturel. Chaque chose pourrait être un conte des Mille et Une Nuits. Le blocus va peut-être durer. Combien de contes nouveaux inspirerait-il à Shéhérazade ?*

– Si Shéhérazade était parmi nous, rétorque un de ses collègues, *elle ne vivrait pas, elle mourrait ! Elle mourrait d'épuisement en essayant de subvenir à ses besoins, de trouver de quoi manger et s'habiller. Elle perdrait son éloquence et son imagination et deviendrait une femme ordinaire ne pensant qu'à vaquer aux soucis quotidiens.* »

Mais l'épisode le plus irréel de ce récit de l'horreur est sans doute celui qui relate les efforts que les professeurs d'université doivent déployer pour perdre du poids. En effet, des instructions « venant d'en haut » ont été données à tous les fonctionnaires, hommes et femmes, de toutes les administrations, y compris les universités, pour qu'ils maintiennent un niveau de poids compatible avec leur taille et âge, sous peine de voir leur traitement baisser. Ces ordres ne sont absolument pas le fruit de l'imagination de l'auteur. C'est bel et bien une réalité qu'ont vécue les Irakiens après la deuxième guerre du Golfe. L'obsession du poids dégénérait en terreur tous les six mois, au moment de la pesée. Semestriellement, chaque *corps* (d'agents de l'État) était convoqué pour un pesage collectif.

Pour ce qui est des universitaires, le personnage du roman de Hayat Sharara raconte que le moment fatidique tombe cette fois-ci vers la mi-mai. Dès la fin avril, il est stressé parce qu'il doit maigrir un peu. Bien qu'il n'ait que deux ou trois petits kilogrammes à éliminer, il se sent oppressé car privé de la liberté de manger ce qu'il souhaiterait et soumis à un régime alimentaire contre son gré.

La conversation des universitaires ne tourne plus autour des derniers courants de pensée, références nouvellement parues, découvertes scientifiques récentes, etc. Ils ne jurent plus que par les calories, l'équilibre entre hydrocarbures et protéines, lipides et glucides. Ils sont devenus experts ès besoins journaliers alimentaires. L'un d'entre eux soupire amèrement : « *Sais-tu quel sacrifice représente pour moi de devoir renoncer à ma bière fraîche dans la fournaise de midi ?* » À Bagdad, en été, la température frôle souvent les cinquante degrés centigrade.

À la date fixée, le narrateur se rend à l'administration chargée d'inscrire le poids et la taille, tourmenté par un sentiment d'humiliation. Il y découvre une interminable file d'universitaires, hommes et femmes, attendant leur tour de monter sur la balance et passer sous la toise. À ce moment, il ne ressent plus l'humiliation comme une souffrance intérieure ; il la *voit* défilant sous ses yeux, en chair et en os.

Se produit alors une scène surréaliste. Une indescriptible bousculade a lieu dans les bureaux où Mesdames et Messieurs les professeurs sont convoqués pour la pesée. La cacophonie règne. Les visages s'assombrissent. Des chemises sont dégrafées, et des cravates, défaites. La foule est nombreuse ; on se marche sur les pieds. Le ton monte. Les esprits s'échauffent et les voix s'élèvent, imitant un brouhaha de souk. Le pire, c'est que, pour ceux qui en ont enfin terminé avec le pèse-personne et le mesure-taille, sortir de la salle relève de l'exploit, tant de corps se bousculant devant la porte pour essayer d'entrer et d'en découdre avec cette corvée. Seule solution : sauter par la fenêtre.

Voilà des professeurs d'université, avec attaché-case et costume-cravate, montant sur une petite chaise en bois pour atteindre le rebord de la fenêtre et s'extirper. Parmi eux, des femmes d'un certain âge, incapables d'exécuter cette « figure » sans l'aide de leurs collègues, ou plus jeunes mais emmaillotées dans des robes longues ou des jupes serrées qui rendent la manœuvre périlleuse. Et saute qui peut !

« Une fois hors du bâtiment, j'ai eu le sentiment de m'être évadé d'une prison en sautant par dessus sa muraille et de recouvrer une liberté perdue. Ouf ! Je n'avais plus à faire à ce maudit immeuble, qui m'a soudain paru très différent des constructions mitoyennes. L'angoisse et l'appréhension se sont dissipées. Mais je n'étais plus moi-même. Tout dans mon for intérieur s'est effondré, et les amas pesaient de tout leur poids sur tout mon être. C'était comme si j'avais déchiré ma pièce d'identité et en avais usurpé une autre, aux caractéristiques incompatibles avec ma nature. »

Assurément, il serait trop injuste d'exiger des écrivains irakiens de troquer leur vie contre un mot libre, comme l'a fait Hayat Sharara. Bien des intellectuels exilés rivalisent de cruauté envers leurs congénères restés au pays, sous d'impitoyables fourches caudines. Bien à l'abri, sous des cieux plus cléments, ils vont jusqu'à les accuser d'être « des hérauts du régime » et de « collaborer » avec ses médias officiels. Mais, en Irak, existe-t-il des journaux, télévisions, radios ou même écoles et universités qui ne soient officiels ? Comment l'intellectuel pourrait-il y survivre s'il boudait tout travail? Devrions-nous donc devenir un peuple de vingt millions d'immigrés et d'exilés?

Face à la fuite croissante d'intellectuels irakiens un peu partout dans le monde (y compris vers des contrées auxquelles, naguère, ils n'auraient même pas songé: Nouvelle-Zélande, Australie, Malaisie, République dominicaine...), un influent journal local a publié des listes de centaines d'expatriés, les classifiant en trois catégories:

– les « apostats » (ou « renégats », qui sont franchement opposés au régime),

– les « irrésolus » (qui oscillent entre opposition et soutien),

– les émigrés « pour cause économique » (partis « à la recherche de leur gagne-pain »).

Ironie du sort: dans cette troisième catégorie de « gagne-pain », figure le nom de Nazek Al-Malaëka. Cette pionnière, sommité de la poésie arabe contemporaine, a laissé ses empreintes littéraires à l'échelle non seulement de l'Irak, mais du monde arabe tout entier. Elle a été l'une des figures de proue de la rébellion contre la poésie traditionnelle, à la métrique rigoureuse et contraignante, et a activement contribué au renouveau du vers arabe. Aujourd'hui octogénaire, elle vit au Caire, avec son fils. Partout dans le monde, des hommages lui sont rendus, dont le dernier en date a été organisé à Paris par l'IMA (Institut du Monde Arabe) dans le cadre du *Printemps de la poésie 2002.* Malheureusement, son état de santé ne lui permet pas d'honorer ces manifestations de sa présence.

En tous cas, elle ne saurait être rangée dans ladite catégorie « économique ». En réalité, son isolement volontaire et sa retraite de l'écriture traduisent une attitude que l'on peut imputer à sa nature douce et pacifique. Cela tient de famille. Il est intéressant de comprendre pourquoi elle porte ce patronyme : dans les années trente, après que sa famille s'est installée dans le quartier de Karrada, sur la rive gauche du Tigre, les voisins ont eu coutume de les appeler *Beit Al-Malaëka,* c'est-à-dire *La maison des anges,* tant les membres de cette famille étaient paisibles et sans démêlés.

Autre ironie du sort : il se trouve que la biographe de Nazek Al-Malaëka* n'était autre que... Hayat Sharara.

Dans les poèmes,
de l'uranium au parfum de pomme

En Irak, la poésie a toujours occupé une place privilégiée dans la vie littéraire. Beaucoup d'Irakiens s'amusent, adolescents, à rimailler, avec plus ou moins de bonheur. La plupart abandonne à l'âge

---

* Biographie parue en langue arabe, aux éditions Riadh Al-Raïs, Londres, 1994.

adulte. Certains persévèrent. Parmi eux, quelques-uns s'illustrent véritablement. Aussi, bien des recueils de poèmes sont-ils régulièrement publiés à Bagdad.

De nombreux jeunes poètes et poétesses se servent du vers comme d'un « labyrinthe linguistique » pour exprimer un sentiment de révolte. La révolte contre une réalité qui leur a volé leur jeunesse a fait d'eux une génération-victime dont la vie est systématiquement reportée *sine die,* tant que perdure le blocus et qu'une énième guerre reste brandie comme une épée de Damoclès au-dessus de leur tête. L'équivoque linguistique offre un moyen imparable de dire l'indicible. C'est pourquoi certaines œuvres paraissent d'autant plus teintées de surréalisme qu'elles empruntent un vocabulaire issu de l'implacable réalité nouvelle.

Parmi les noms émergeant de cette nouvelle génération d'écrivains, la poétesse et romancière Nidhal Al-Qadhi parle d'un désespoir qu'elle perçoit avec les yeux d'une jeunesse mélancolique :

« *L'on mélange le pain avec des chiffres, le pétrole avec du lait, les fœtus avec de l'uranium appauvri. Et l'on suit les vents à l'odeur de pomme*. C'est pourquoi les fenêtres de la chambre sont calfeutrées avec du nylon épais ; et leurs extré-*

-----

* Les rescapés affirment que le nuage toxique exhalait un parfum de pomme.

mités, farcies d'éponges humides, pour que les vents ne portent pas vers nous ce visiteur. Ni son parfum, ni son nuage rose létal. » Les membres de la famille sont des créatures accroupies tout autour du tapis. La grand-mère verse du thé dans les *istikans**, puis remet la théière sur le poêle. Elle verse et remet. Puis elle verse et remet. « *Et moi, face à la bibliothèque, je cherche un livre à la lueur déclinante d'une bougie.* »

Si les bougies sont si souvent citées dans les œuvres littéraires irakiennes actuelles, ce n'est pas par excès de romantisme. Simplement, l'état délabré des centrales électriques, notamment à cause du manque de pièces de rechange et de maintenance, provoque de nombreuses coupures de courant. D'où le retour généralisé à des moyens d'éclairage plus rudimentaires : bougies, candélabres, lampes à pétrole, etc.

Dunya part en Amérique

Cependant, l'esprit fougueux de la jeunesse ne se laisse pas abattre par l'obscurité. Et – surprise ! – les princesses de Monaco, Marie-Antoinette, Simone de Beauvoir et autre Hemingway s'immiscent dans les

---

* Petites tasses de verre, légèrement échancrées vers le milieu, dans lesquelles les Irakiens boivent du thé.

poèmes, comme pour offrir des colonnes sur lesquelles s'appuient des poétesses chancelantes.

Dans ses *Mémoires d'une vague hors de la mer*, Dunya Mikhaïl nous lance à la figure, avec la plus sereine des certitudes :

« *Vous pouvez tuer un homme avec des instruments avancés. Mais cela ne signifie pas que vous l'avez vaincu. Hemingway, ne vous l'a-t-il pas dit ? À propos, je l'ai vu hier. Il m'a dit :* "Du point de vue de la nature, il n'y a aucune différence entre la mort d'un homme et celle d'un chat". *Il n'a pas voulu me croire lorsque je lui ai eu parlé du retour des avions dans un ciel qui rutile encore de tristesse et verse des larmes noires sur une terre qui semble très grosse tant elle a englouti de martyrs. La lune a délaissé cette terre après avoir découvert sa laideur. Alors la terre est devenue triste et s'est mise à fumer excessivement. Les fils d'Adam ont étouffé et se sont mis à éternuer.* »

Dunya Mikhaïl étouffait, elle aussi. Elle ne pouvait plus supporter de vivre derrière les remparts du monde. Comme les millions qui ont choisi le départ pour « gagner leur pain », elle est allée s'installer aux États-Unis, où elle s'est mariée. Nul ne sait quels poèmes l'inspirent, à présent qu'elle peut contempler de l'autre côté du ring, le combat de coqs entre Bush et Saddam.

Sa congénère la poétesse kurde Gulala Nouri continue, elle, à jouer avec les sens et s'amuser avec les images pour lutter contre la mélancolie. Dans un recueil intitulé *Lorsque le dauphin s'endort,* elle se livre ainsi :

En me regardant dans le miroir
Pour ajuster mes ventricules et oreillettes
Je fus certaine d'être encore une clocharde
Et de porter encore un charme de princesse
de Monaco
Malgré les rides du mariage

Rim et les babils de la passion

On la surnomme « La nouvelle Nazek », par allusion à l'éminente poétesse irakienne Nazek Al-Malaëka. En effet, à bien des égards, le don poétique de la jeune écrivain rappelle celui de la pionnière octogénaire. De surcroît, avec celle-ci, Rim Qaïs Kobba possède un lien de parenté, de par sa mère.

Dans un sursaut contre l'ennui d'un horizon étranglé, Rim Qaïs Kobba a décidé d'éditer, au lieu d'un livre, un CD de ses vers accompagnés de musique. Las ! Les Irakiens, pour la plupart, utilisent encore des cassettes audio. Qu'a cela ne tienne : elle a édité une cassette également. L'expérience n'est sans doute pas originale. Mais il est réjouissant de voir Bagdad se réveiller sur la mélodie de poèmes d'amour déclamés par une jeune femme du pays, alors que, parvenant de l'extérieur, un sourd bruit de branle-bas de combat obsède les esprits.

L'un de ses poèmes raconte comment elle a rencontré son bien-aimé « *en pleine sieste des canons, entre deux guerres* », comment ils ont cru que la bataille s'était endormie pour longtemps et ensemble rêvé que les « *cimetières devinssent pistes de danse* ». Mais le destin s'acharne. La malédiction s'abat de nouveau sur la ville, brise les rêves des deux amoureux, interrompt leur babil, obligeant l'un à exercer le silence comme « profession » ; et l'autre, à « se reconvertir » dans la catastrophe.

Les milieux littéraires irakiens se sont félicités du CD et de la cassette de Rim. Et cette dernière a commencé à recevoir invitation sur invitation à venir déclamer ses vers en musique devant le public. Sa cassette est même devenue le morceau de prédilection des chauffeurs de taxi de la capitale, qui la passent et repassent durant leurs courses, au détriment des mélancoliques arias et rengaines campagnardes habituelles.

Il y a quatre ans, dans un élan d'orgueil optimiste, Rim a choisi de participer à un concours littéraire organisé par un club féminin de l'émirat de Sharja (aux Émirats Arabes Unis). Après avoir simplement adressé ses nouveaux poèmes par courrier ordinaire, elle a oublié l'affaire. Quelque temps plus tard, son téléphone a retenti, et une voix lointaine et saccadée lui a appris, à son grand étonnement, que le premier prix du concours venait de lui être décerné.

L'isolement des gens de lettres en Irak est tel que la jeune poétesse a perçu la nouvelle de son succès comme un miracle. Mais ce n'était là qu'un petit miracle, car il lui en fallait un autre, encore plus prodigieux, pour pouvoir faire le voyage et aller recevoir son prix.

Il convient, ici, d'évoquer de façon assez détaillée les tracasseries qu'a dû endurer Rim avant et pendant son périple. Ces détails permettront de se forger une idée des obstacles, souvent infranchissables, auxquels se heurtent les intellectuels irakiens pour être présents dans les événements culturels, arabes ou internationaux. Que de congrès, débats, festivals et autres tables rondes se sont terminés avant que l'Irakien convié n'ait bouclé le cycle des formalités : obtention de passeport, puis d'accord de sortie du territoire, puis des visas successifs des pays de transit et du pays destinataire. Les Irakiens connaissent particulièrement l'enfer des visas. De surcroît, la taxe de sortie du territoire est très élevée. Voici, à peu près, comment les choses se sont passées pour Rim :

En temps normal, le trajet en avion entre Bagdad et les Émirats dure trois heures à peine. Elle en a mis… trente-deux, embargo aérien oblige. Il lui fallait d'abord dénicher un *mahram** pour

---

* Accompagnateur masculin qui doit être soit l'époux légal, soit un adulte qui n'est juridiquement pas mariable à la femme partant à l'étranger : père, frère, fils, oncle, neveu… (N. d. T.)

l'accompagner. Le hic est que le mari de la poétesse ne pouvait faire le déplacement car il est ingénieur. Or les ingénieurs sont interdits de sortie, par crainte de fuite des compétences. Même « sanction » pour le père de Rim, qui est universitaire, et par conséquent soumis à de sévères conditions en matière de voyage à l'étranger.

Le seul homme remplissant les caractéristiques requises a été un vieil oncle maternel, un retraité, pour lequel elle a pu obtenir un passeport en deux jours : un autre miracle ! Le vieil homme et sa nièce ont donc quitté Bagdad par la route pour la Jordanie, le 9 novembre 1999, à 20 heures. La poétesse lauréate a laissé son oncle se reposer dans un hôtel d'Amman, la capitale jordanienne, avant de poursuivre seule le voyage jusqu'à Sharja. Elle a atteint l'émirat du Golfe au matin du 12 novembre, quelques heures avant la cérémonie de remise des prix.

Sans sommeil, sans préparation et épuisée, elle a éclaté en sanglots lorsque son nom a été appelé et qu'elle a été invitée à monter sur le podium. Malgré elle, Rim a versé des larmes d'émotion et de fatigue. L'assistance est demeurée incrédule : pourquoi donc une lauréate pleure-t-elle, au lieu d'être joyeuse ?

« *Lorsque je m'attable*, dit-elle, *pour écrire un poème, j'oublie totalement le monde qui m'entoure ; il n'y a plus que moi, mes djinns et mes démons. Même le papier et le stylo se font absents. Mais le poète, aussi dominé qu'il puisse être par son narcissisme, découvre toujours qu'il écrit pour le monde par procuration. Mes* petits yeux peuvent engloutir la Terre entière. Et le blocus refuse de me délivrer. Il ressemble au vieux mortier de ma grand-mère lorsque, posé sur ma poitrine, il m'empêche de respirer et de bouger. Pourtant, lorsque je veux être créative, je dois emprunter l'énergie de dix hommes. »

À l'écouter se livrer, l'on comprend d'autant mieux le poème où elle s'adresse à son bien-aimé en ces termes :

Quand se réalisera mon rêve
Et me pousseront deux ailes
Pour voler au loin
Je me contenterai de me poser sur tes genoux
Et envelopper mes bêtises de mes deux ailes

Le ciel de la ballerine était si proche

Une élève de ballet amoureuse d'un sculpteur pris sous les drapeaux et envoyé au front de la première guerre du Golfe* : telle est, succinctement, la synopsis de Comme le ciel paraissait proche, de Betool Khedairi. Un premier roman comme le sont souvent les premières œuvres : débordant d'événements, de personnages et d'idées. Publié par une maison d'édition libanaise en 1999, le livre bénéficie de l'élégance des livres édités à Beyrouth : cou-

---

* Appellation donnée à la guerre Irak-Iran (1980-1988). (N. d. T.)

verture satinée, brillante, soignée ; titre et nom de la romancière pittoresquement calligraphiés en arabe ; papier blanc propre, doux au toucher... Bref, le parfait contraste avec l'aspect pauvre et la mauvaise qualité d'impression des livres édités à Bagdad.

D'aucuns pourraient s'interroger : *Comment, quoi, y a-t-il donc des écoles de ballet à Bagdad ?* Qu'ils se rassurent. Bagdad est différent de Kaboul, malgré les tentatives tendancieuses d'amalgamer les deux capitales. En Irak, il y a des écoles de ballet depuis un demi-siècle. De jeunes ballerines irakiennes dansent au rythme du *Lac des cygnes* ou d'autres musiques du monde, plus modernes. Chaque année, l'ambassade de France à Bagdad organise un *Printemps de la poésie* auquel participent de jeunes poétesses et étudiantes irakiennes francophones. Elle célèbre également l'arrivée du beaujolais nouveau, dont les bouteilles, expédiées à Amman par avion, sont ensuite acheminées en Irak par camions, à travers le désert.

Sous un ciel unique naguère si proche et désormais si lointain, le vin français cohabite avec le sang versé. Betool Khedairi fait dire à son apprentie ballerine :

« *Madame nous a conduits au cours classique, épuisés que nous étions à exécuter, sur la pointe des pieds, des figures sur des morceaux de Chopin et de Rachmaninov. Elle nous a disséqué un passage de Bach. Avec nos corps, nous avons ensuite essuyé le* sol en répétant une chorégraphie moderne. La musique de Jean-Michel Jarre retentissait des immenses haut-parleurs fixés dans les coins de la salle. Leurs orifices nous distillaient les notes comme des gouttelettes d'eau sans humidité. [...]

« De la frontière est, nous parviennent des nouvelles des combats. De larges banderoles d'étoffe noire sont accrochées aux grillages des maisons et des mosquées, portant des hommages funèbres écrits en blanc. Des tentes sont dressées en plein milieu de la chaussée pour accueillir les cérémonies funéraires trois jours durant, pendant lesquels les rues réquisitionnées sont barrées à leurs extrémités. [...]

« La plupart des femmes s'habillent en noir. En société, les présentations sont désormais faites ainsi : une telle est la sœur de tel martyr ; telle autre, la mère de tel prisonnier de guerre ; telle autre, la fille de tel porté disparu ; telle autre, la fiancée de tel blessé, et ainsi de suite. Les dossiers des étudiants expatriés ont été clôturés. Les bourses d'études et les mandats ont cessé. Beaucoup sont rentrés pour rejoindre leurs affectations sur le front. Les bus rapatriant les corps des martyrs sont de plus en plus nombreux. Une fois, nous avons vu un triste minibus. À bord, une mère étreignant un casque militaire criait à travers la vitre arrière. À chaque arrêt au feu rouge, elle affirmait avec obstination que c'était le jour des noces de son fils mort à la guerre. Nous sommes devenus familiers de la mort et de ses anecdotes. La télévision rumine constamment les pertes de l'ennemi... et les nôtres. »

La ballerine reçoit de son amoureux soldat un billet doux dans lequel il lui annonce son retour à Bagdad pour une courte permission et lui fixe un rendez-vous pour le lendemain de son arrivée. Elle décide de s'y rendre et de se donner à lui. Et s'interroge : « *Comment célébrer ma relation avec le premier homme ? Pas le temps pour les questions. Y a-t-il un temps pour une relation sous les détonations ? Comment construire au milieu de choses qui sont détruites ? Les hommes tombent les uns après les autres. Les bâtiments et les maisons familiales tombent. Le temps tombe. Reprendra-t-il mes mains entre les siennes ?* »

Elle va chez lui, à l'heure prévue. Il a laissé la porte ouverte car la sonnerie est en panne à cause de la coupure d'électricité. Elle entre lentement, le cœur palpitant. Son regard se pose sur le béret et les bottes militaires, jetés près du lit. La sueur salée asséchée dessine une sorte de carte géographique sous chaque manche de la chemise kaki posée sur la chaise. Lui dormait, en plein repos de guerrier. Elle n'a pas voulu le réveiller. La guerre en dehors, et eux à l'intérieur. N'avait-il pas dit : « *Pas le temps de faire connaissance lentement* » ? Ils font l'amour. Leurs ébats sont décrits dans un texte des plus beaux et audacieux que puisse écrire une écrivain arabe : une femme qui se donne « sans contrat » à un homme devant repartir vers un front qui ne le lui rendra peut-être plus jamais.

Betool Khedairi, qui a étudié la littérature française à l'université, maîtrise plus particulièrement l'anglais, langue de sa « maternelle », une Anglaise qui vivait en Irak. Cela explique pourquoi elle a traduit avec panache de nombreux textes anglais, dont notamment *Doctor Fisher of Geneva or the Bomb Party* du Britannique Graham Greene.

L'héroïne de ce premier roman, *Comme le ciel paraissait proche,* ressemble à son auteur à bien des égards ; il y plane comme un parfum d'autobiographie. L'histoire est pleine de morts d'êtres chers : enfant, l'amie de l'héroïne meurt, puis son père (d'une crise cardiaque), puis sa mère (d'un cancer des seins). Or Khedairi a réellement vécu ces drames. Mais c'est aussi – d'où sa beauté – un roman de la vie, la vie à travers le passage de la mort. Le tout sur fond de deux guerres ravageuses qui ont assommé les rêves de la jeunesse. Le rêve est entré en léthargie, provisoirement. En attendant sa résurrection et le retour d'un printemps fleuri, la jeunesse se console avec l'écriture.

L'écrivain avait entamé le roman en 1990, moins de deux ans après la fin de la guerre Iran-Irak. Avant de le terminer, elle a été rattrapée par les événements : la guerre du Koweït venait de sévir. Celle-ci s'est naturellement imposée au dernier chapitre du livre. Au commencement, Khedairi n'entendait pas écrire un roman. Elle voulait simplement inscrire ses observations sur les assemblées de femmes à l'occasion des cérémonies funèbres, très fréquentes dans un Bagdad en guerre.

Étant donné que la mère de l'auteur était une étrangère, la romancière se rendait à ces réunions en compagnie de sa tante paternelle. Elle y observait, à la fois fascinée et effrayée, l'ambiance pesante, les femmes se lamentant, se frappant la poitrine, déchargeant leurs fardeaux de soucis, et parfois même des scènes comiques qui faisaient pleurer de rire l'assistance.

Après trois mois d'écriture, le père de la romancière décède. C'est pour elle un choc étrange : « *Soudain, je me suis trouvée impliquée, plongée de plein fouet dans ce climat lugubre que j'avais observé chez les autres et dont j'avais consigné les impressions sur les pages de mon journal.* » Les condoléances ont emménagé dans la maison familiale. Et voilà que la veuve étrangère, mère de l'auteur, est assise, pour les recevoir, aux côtés des parentes et des femmes du quartier.

Malgré son chagrin à la mort de son père, Betool préfère fuir ces assemblées, se retirant dans sa chambre à l'étage pour continuer à noter des observations « *devenues irrésistiblement obsessionnelles* ». Elle est incapable de pleurer son père, pourtant l'être qu'elle chérissait le plus au monde. « *Pour compenser, j'écrivais.* » Ses larmes convulsées se muent en lettres qui s'alignent sur le papier sans passer par les paupières.

Quelques centaines de pages plus tard – remplies de notes, commentaires, descriptions et souvenirs – le récit se forge enfin dans une intrigue résolument romanesque. Betool choisit le style d'une correspondance adressée au père disparu.

Ainsi naquit un superbe texte, que de nombreux critiques littéraires n'hésitent pas à classer parmi les meilleurs romans irakiens de ces dernières années.

Le destin dessiné
dans une tasse de cappuccino

Dans un recueil de nouvelles paru à Bagdad en 2002 sous le titre *Les Oranges de Somaya,* l'écrivain Lotfiya Al-Dilaimi évoque l'émigration et son cortège de déchirure, de décomposition familiale et d'éparpillement des destins. (Selon les estimations, le nombre d'Irakiens ayant quitté le pays à cause des deux guerres du Golfe s'élève au moins à deux millions de personnes.)

La couverture du livre affiche une fillette enveloppée de l'*abaya** noire traditionnelle et portant des chaussons d'où dépassent ses orteils. Elle se plante à contre-jour, le noir de son *abaya* se confondant avec celui de la couverture. La fillette fixe l'appareil photo, pensive comme si elle voulait laisser poindre un sou-

---

* Sorte de pèlerine, vêtement ample de voile noir ouvert à l'avant qu'utilisent les femmes pour se couvrir. (N. d. T.)

rire sans oser le faire. Le sérieux est de mise à un moment aussi crucial, devant la majesté de la photographie. Sans doute s'agit-il de la photo de Lotfiya Al-Dilaimi en personne, lorsqu'elle avait dix ou douze ans. Cette écrivain, qui a commencé à publier voici plus de trente ans, est l'une des rares à avoir produit une œuvre prolifique ininterrompue (romans, nouvelles, pièces de théâtre, essais, dramatiques pour la radio et la télévision…).

En 2000, elle a obtenu le premier prix d'un concours de romans initié par le président Saddam Hussein. Sa fiction, intitulée *Le Rire de l'uranium,* relate la tragédie de l'abri antiaérien civil d'Amiriyya, que les avions américains ont bombardé lors de la deuxième guerre du Golfe, faisant des centaines de victimes, surtout des femmes et des enfants.

Dans l'une des nouvelles du dernier recueil, *Les Oranges de Somaya,* une jeune fille prénommée Zainab interroge sa mère sur le secret de ces nombreux oiseaux migrateurs volant vers l'ouest. « *Mais la mère sait pertinemment que Zainab recourt, à dessein, à des allusions, des phrases équivoques, des métaphores; elle sait que la question posée ne porte pas, en réalité, sur les oies ou les cigognes itinérantes. De fait, la jeune fille veut éviter d'attiser la tristesse de sa mère en se gardant d'évoquer directement son frère Salwan et son cousin Furat. Tous deux sont absents: ils ont cédé à la tentation d'eldorados lointains, censés leur procurer un paradis qui ne sera jamais le leur.* »

Zainab est amoureuse de Furat. Elle attend son retour pour leurs épousailles, ou du moins qu'il fasse en sorte qu'elle le rejoigne à l'étranger et qu'ils s'y marient. (Cela se passe fréquemment parmi les émigrés ; de jeunes dulcinées sont parfois « exportées » comme des marchandises.) Or Furat n'a pas écrit à sa bien-aimée depuis dix mois. Néanmoins, Zainab s'active assidûment à préparer sa robe de mariée, en attendant les nouvelles tant espérées de Furat.

Le jeune homme avait dégusté le cappuccino pour la première fois au café Gardenia, dans le quartier chic d'Al-Mansour, à Bagdad. C'était deux ans après le début du blocus. Une ravissante jeune femme l'y avait convié. Elle a disparu aussitôt après, sans laisser d'adresse, mais en le laissant, lui, se morfondre dans une passion hypothétique déferlante qui le pousse à ressentir une envie irrésistible de cappuccino. Une semaine plus tard, il se rend de nouveau au Gardenia, s'attable et commande une tasse du délicieux breuvage. Hélas ! s'excuse le serveur, la machine à préparer le cappuccino est au « chômage technique », le courant s'étant interrompu. Ah ! ces coupures d'électricité, comme elles sont omniprésentes dans bien des œuvres irakiennes actuelles !

« Là-bas, sous le ciel du dépaysement, Furat changera son prénom et son nom aquatiques : Furat

Abdel-Hassan Shatti'*. Ce prénom qui rend hommage à la douceur de l'eau du fleuve éternel... Il rêvera de muser dans les rues de Florence la féerique, accompagné d'une belle Italienne qui l'appellera Senior Chatti. *Il oubliera Zainab et servira des tasses de cappuccino aux clients du café florentin que possède la belle Italienne..* »

Dans une lettre personnelle, Lotfiya Al-Dilaimi définit ses derniers écrits comme ceci :

« Ils sont l'autre nostalgie. La nostalgie de l'avenir. Texte exempt de vides car disant ce que ne dit pas l'ennui de l'embaumement en liquide balsamique. Je tente de nouvelles expériences narratives qu'appelle notre état de souffrance profonde. Des circonstances aussi étranges que celles que nous vivons transcendent toutes les étrangetés de la création et exigent de nouvelles formes d'écriture. L'important, c'est que je continue de vivre et diffuser la vérité telle que je la perçois. C'est l'écriture qui illumine l'éclipse de mes jours. »

Son roman, *L'Éclipse de Burhan le bouquiniste***, s'attaque à un autre aspect de la crise que vivent les intellectuels, gens et amateurs de lettres sous l'embargo. Le héros est un amoureux des livres, anciens

---

* *Furat,* en arabe, signifie *Euphrate*, et *Shatti'* est synonyme de *Rive.* (N. d. T.)
** Aux éditions de la Maison de la poésie palestinienne *(Beit al-chi'r al-falastini),* Ramallah, 2001.

ou nouveaux. Malheureusement, à l'instar des autres bibliophiles irakiens, il est contraint de revendre son « trésor » pour subsister et subvenir aux besoins de sa famille. Lorsque sa femme, Dalila, lui demande : « Que mangerons-nous demain ? », il entend : « Quels livres vendre demain pour survivre ? »

Sa bibliothèque, il l'a héritée de son père, et ce dernier, du sien. Elle lui a appris les secrets du dialogue et enseigné la sainteté de la différence de pensée. Aux moments pénibles, il lui suffisait pour oublier – lui, le toxicomane de lecture – de se dresser dévotement devant ses étagères et d'humer les odeurs particulières qu'exhalent les différents types de papier vieilli.

Un jour, Burhan le bouquiniste se rend rue Al-Mutanabbi, à Bagdad, pour étaler d'autres pépites de son trésor. Chaque vendredi, cette rue est fermée à la circulation pour être transformée en une gigantesque foire aux livres qui attire des centaines d'étudiants et d'amateurs de lettres. Des tas de bouquins et de périodiques d'occasion jonchent alors les trottoirs. Et les cris des vendeurs se confondent avec les voix des chalands dans un tintamarre pitoyablement pittoresque.

Encore une fois, le bouquiniste fait face à de douloureux dilemmes : faut-il céder l'Al-Kindy et sauver le Tawhidi, vendre le Miskaweih et préserver la statuette du roi sumérien Shogly qui passe la nuit allongée entre lui et Dalila ? Il ressent ce que ressentirait un père devant choisir deux de ses cinq enfants à sacrifier sur l'autel d'un marché d'occasion. Chaque vendredi, la même tristesse le frappe. De retour chez lui, il est tellement affligé qu'il ne reconnaît plus personne, pas même Dalila. Cette fois-ci, celle-ci parvient à extirper subrepticement un Al-Kindy et un Albert Camus, en les dissimulant entre les plis de ses habits, juste avant le départ de son époux. Au retour, il aura vendu la statuette du roi sumérien. Il donne l'argent à sa femme pour qu'elle achète des vêtements et quelque nourriture, « mais n'en parle plus jamais devant moi, tu m'entends ? ».

Lors d'une intervention prononcée à l'occasion d'un colloque littéraire, Lotfiya Al-Dilaimi a avoué avoir en elle quelque chose de son héros, le bouquiniste qui vend la connaissance pour préserver son corps. « Dans mon pays, dit-elle, l'écrivain, homme ou femme, est à la fois victime et acteur du spectacle sanguinaire. Il est davantage enclin à l'instinct de survie qu'à l'expérience de l'affrontement. Mais il tente de construire quelque chose d'autre, se berçant de l'illusion qu'à travers l'écriture il peut se mesurer à l'hégémonie de la mort, de la misère, de la faim et de l'isolement du monde extérieur.

« L'ultime défi possible serait un esprit qui ait suffisamment de place pour le *Je* et le *Nous*, le *Je* et le *Lui*. Il serait prodigieusement beau de voir l'espace s'agrandir, et le déluge de sang de l'individu, non piétiné par le corps collectif. Ce serait prodigieusement beau de nous entraîner à l'ouverture d'esprit et au respect de l'opinion de l'autre : cet ultime défi fascinant ne saurait être relevé par une écriture naïve, ni une consignation émotionnelle des événements du temps ; il faudrait faire exploser les interrogations, bannir les *a priori* et jeter le pavé dans la mare stagnante. »

Deux femmes attendant un mort-vivant

Les musulmans croient que ceux qui sacrifient leur vie à Dieu ne meurent pas comme le commun des mortels, mais « sont vivants auprès du Seigneur », affirme le Coran.

Partant de cette idée et du refus d'une mère et d'une épouse de croire en la mort de leur fils et époux, May Mudhaffar tisse le fil conducteur d'une nouvelle intitulée *Les Figues d'or*. Celle-ci a été écrite dans les années quatre-vingt, durant la première guerre du Golfe. Mais le recueil qui la comporte a été édité une dizaine d'années plus tard. Un an et cinq mois après la disparition du soldat Walid, les deux femmes l'attendent encore devant la fenêtre. Pourtant, il ne figure pas dans les listes de prisonniers de guerre. Aucun de ses camarades rescapés ne sait rien de lui. Et son commandant, pas davantage. Sauf qu'il était parti en compagnie de cinq autres militaires en mission de reconnaissance derrière les collines lorsqu'ils ont essuyé le feu de l'ennemi.

La nouvelle reflète assez fidèlement ce que vivent des milliers de femmes irakiennes qui ne se lassent pas d'attendre le retour miraculeux d'un être cher porté disparu, avec une volonté d'espérance à toute épreuve. Après tout, pourquoi perdre espoir alors que des convois continuent de temps à autre – au gré du baromètre des relations bilatérales – à ramener des prisonniers libérés par l'Iran, plus de quatorze ans après la fin de la guerre ?

À sa bru, la mère de Walid raconte son rêve : « *Je l'ai vu assis sous un énorme figuier. Il était joyeux, cueillant et mangeant le succulent fruit. C'était des figues d'une couleur dorée comme je n'en avais jamais vu. Il m'a souri au loin et m'a fait signe. À ce moment, je me suis réveillée.* » Bien que les figues soient, selon le Coran, des fruits du paradis, la mère rassure l'épouse de son fils : « *Sois-en certaine, il est vivant, ma fille, il vit quelque part.* »

Dans une autre nouvelle, *Les Amants,* May Mudhaffar décrit les nuits d'horreur que les familles irakiennes passaient sous les raids des avions alliés. Des millions de téléspectateurs de par le monde ont suivi ces scènes apocalyptiques en direct sur CNN, ne retenant que le « feu d'artifice » dans le ciel de la ville légendaire.

Pour ceux qui vivaient ces bombardements d'en bas, il en était tout autrement. Les familles proches étaient obligées de se rassembler dans une seule maison, plus sûre que les autres, et de se réfugier dans une pièce bien à l'abri. Ces rassemblements forcés ont offert aux deux amants de la nouvelle la chance de se rencontrer. Leurs corps se sont frôlés, et leurs mains, enlacées. Au diable les avions !

Inanna redescend dans le bas monde

Selon la mythologie sumérienne, qu'ont héritée les Irakiens de leur civilisation première, la déesse Inanna, reine du ciel et de la Terre, est descendue au monde inférieur pour épouser le berger Domozi afin « qu'il laboure son utérus ». Avant d'entamer sa descente, la déesse – qui était surnommée « fille aînée de la lune », « étoile du matin et du soir » et « reine de la fertilité » – avait confié une recommandation à sa fidèle servante, Nunshupur. Celle-ci devait, en cas de non-retour de sa maîtresse, organiser une cérémonie solennelle. « *Roule du tambour pour moi*, lui avait ordonné Inanna, *fais le siège des demeures des dieux, frappe sur tes yeux, ta bouche, tes cuisses. Sois vêtue d'un habit de mendiante. Va au temple et crie : "Ô père Enlil, ne laisse pas ta fille être conduite à la mort du monde inférieur. Ne laisse pas ta perle rutilante se couvrir de la poussière du bas monde. Ne laisse pas ta précieuse turquoise devenir un vulgaire caillou érodé par les cailloux. Ne laisse pas la prêtresse du ciel sacré être conduite à la mort du monde inférieur".* »

De nos jours, cette oraison pourrait être invoquée par les maîtresses de Mésopotamie, qui sombrent dans un monde inférieur dont elles n'avaient jamais connu les affres auparavant. Depuis que le dieu américain a déclaré son intention inébranlable de « ramener l'Irak à l'âge de pierre », les Irakiennes tentent d'inscrire l'amère expérience. L'épreuve de semaines de bombardements ininterrompus, d'années de sanctions, et surtout le retour insidieux de Bagdad et de ses habitants à l'ère préindustrielle.

Sans doute, les écrits de ces femmes deviendront un jour des chapitres mythologiques que liront des générations qui ne sont pas encore nées, ces écrits dont la valeur littéraire et les objectifs ne sont pas égaux. Certains étaient entendus comme témoignages pour que le monde sache, une fois le raid achevé ; en quelque sorte pour que s'avère la phrase « quelqu'un a survécu pour rapporter ». D'autres textes ont puisé leur inspiration de la colère contre les assaillants et d'un sentiment patriotique tendant à rappeler que la victime reste plus noble que son bourreau, même s'il est le plus fort. Ce dernier type d'écriture convient le mieux à la consommation médiatique, au relèvement du moral des masses ou à la propagande de guerre.

Dans un texte intitulé *Lignes croisées de la symphonie de la vie et de la mort,* la journaliste et romancière Thikra Mohammed Nader a tenté de concilier témoignage littéraire et discours médiatique propagandiste. Elle a écrit une chronique des bombardements déclenchés dans la nuit du 17 janvier 1991 pour durer jusqu'à la fin du mois de février de cette même année. Ultérieurement, ce texte décrochera le premier prix d'un concours d'articles de presse portant sur la guerre. Soulignons que ce concours a été baptisé « La mère des batailles » (appellation officielle adoptée par la direction irakienne pour désigner la guerre du Golfe).

Voici un extrait de l'ambiance que décrit le journal de Thikra Mohammed Nader :

« À deux heures et demie du matin, le crime traversait les rues. Le dôme du firmament s'illuminait des couleurs du spectre. Les bombardiers ont étrenné leur chargement en frappant la tour des communications, de laquelle ne nous séparaient que deux rues. À la première bombe, le quartier a sursauté et ses poussières se sont envolées. À la deuxième bombe, la peur a perdu connaissance. »

Noha Al-Radhi, elle, a apporté un témoignage plus détaillé, plus émouvant et plus précieux littérairement et socialement. Mais la franchise et la causticité de certains passages lui ont valu de vivre aujourd'hui exilée à Beyrouth, frustrée et privée de l'air de sa patrie. L'éternel écueil des régimes totalitaires est qu'ils sont excessivement allergiques à toute critique. Le texte d'Al-Radhi est favorable au pays à 99 %. Or le régime n'a retenu que le 1 %

qu'il juge préjudiciable. Toujours est-il que l'écrivain a payé en entier le prix que paient souvent les écrivains épris de liberté.

Jusqu'alors, Al-Radhi s'était illustrée dans son pays en tant que sculpteur et archéologue. Nul ne lui savait des penchants littéraires. Mais ses écrits sur les événements ont révélé un grand art de l'observation et un don formidable pour mesurer le pouls des êtres vivants, fussent-ils les humains, les palmiers-dattiers ou les chiens de son quartier (dont son propre chien, qu'elle avait nommé *Salvador* en hommage à Dali). Sa lucidité de la profondeur du drame n'a pas altéré son sens de l'humour et du sarcasme noir. Elle a judicieusement choisi d'écrire en anglais, langue qu'elle maîtrise pour avoir vécu, pendant son enfance, en Inde (où son père était ambassadeur) et pour avoir suivi des études à l'université américaine de Beyrouth et, plus tard, étudié la céramique à Londres.

Elle avait réussi à publier son journal de la guerre dans un périodique américain. Or la traduction publiée ultérieurement par un magazine littéraire arabe a trouvé un écho très favorable, ce qui a incité l'écrivain à reprendre ses mémoires pour inscrire ses impressions sur la situation des Irakiens durant l'après-guerre. La totalité de son récit a ensuite été publiée, au sein d'un livre unique, par une maison d'édition londonienne, Al-Saqi. Le journal de Noha Al-Radhi constitue une nouvelle image, contemporaine, de la descente d'Inanna aux enfers du bas monde.

« Volonté » fait la cour au parfum de pomme

C'est un troisième témoignage sur les horribles semaines de bombardement, lorsque les avions alliés déversaient sur Bagdad l'équivalent de plusieurs fois la bombe larguée sur Hiroshima lo** de la Seconde Guerre mondiale. Ce témoignage, toutefois, revêt une forme artistique qui remplit pleinement les conditions du romanesque. Sans cor ni cris, l'œuvre chuchote la souffrance à travers des personnages simples, marginaux et sympathiques.

Le roman s'intitule *Parfum de pomme*. Il a été publié à Bagdad par la « Maison des affaires culturelles », en 1996. Son auteur est Irada Al-Jibouri. Pardonnez-moi si je me trouve contrainte, une fois de plus, d'aborder le jeu de noms et leur impact : *Irada,* en arabe, signifié *Volonté*. Al-Jibouri est née en 1966 à Karbalaa. Or cette ville est un lieu saint de premier importance pour les chiites, majoritaires en Irak, car elle abrite le mausolée de l'imam Hussein, petit-fils du prophète Mahomet de par sa fille Fatima.

En cette fin du VIIᵉ siècle, l'imam Hussein vivait à Médine, ville de la péninsule arabique (aujourd'hui en Arabie Saoudite) jusqu'à l'accession de Yazid au califat omeyyade. Hussein a refusé de prêter allégeance au nouveau calife. Bien au contraire, il a lancé un appel véhément à l'abolition du règne despotique et absolutiste. Les habitants de Koufa, en Irak, ont alors adopté sa cause et lui ont promis de le proclamer calife. Ils l'abandonneront cependant à son arrivée aux confins de leur ville, terrorisés qu'ils étaient par la répression sanglante qu'entre-temps avaient exercée sur eux les janissaires de Yazid. Face à l'armée du calife, Hussein s'est trouvé donc seul, excepté une poignée de fidèles et membres de sa famille. Après avoir décliné l'offre de reddition, lui et les siens ont été assiégés dans le désert, assoiffés, puis tués. Cela s'est passé à Karbalaa, en l'an 680.

Depuis lors, et jusqu'à l'heure actuelle, les chiites célèbrent chaque année le martyre de Hussein et font pénitence en se lamentant et en se tapant la poitrine, voire, pour certains, en se flagellant ou en se donnant des coups de sabre. La tragédie de Karbalaa a inspiré nombre de poètes, d'écrivains et de dramaturges. Le nom de la ville est devenu synonyme à la fois d'héroïsme et de trahison.

L'histoire de l'Irak a connu d'autres Karbalaa depuis. D'autres encore s'annoncent. Les pleureuses n'ont pas fini de se frapper la poitrine.

Dans *Parfum de pomme,* Irada Al-Jibouri évoque, elle aussi, cette odeur qui augure de l'approche d'un nuage toxique destructeur. Douloureux paradoxe que de voir les Irakiens exercer leur sens olfactif à détecter avec appréhension ce bon parfum de pomme, qu'ils associent désormais à la mort. Les personnages du roman sont au nombre de deux ou trois, guère plus. Un homme atteint d'une maladie incurable et qui préfère rester chez lui malgré les bombardements et une jeune femme venue en ville de loin, à pied, à la recherche de son bien-aimé dans une maison voisine de celle de l'homme malade.

Le roman se fonde sur ces sentiments internes et ces souffrances profondes que l'on ne peut éprouver qu'*in petto*. Bagdad se vide de ses habitants, et les rares personnes qui y demeurent se retirent à l'intérieur d'elles-mêmes pour édifier les éléments de leur propre résistance morale et chasser la peur. La guerre, les avions, les déflagrations servent uniquement d'effets sonores secondaires. L'auteur a voulu rendre subsidiaire et marginale leur influence sur les chapitres du roman.

À la fin, le héros, qui n'en est pas un, reste seul car il a passé sa vie à attendre la catastrophe. Plus rien ne l'étonne. Sa sœur, veuve d'un martyr de la première guerre du Golfe, vivait avec lui. Mais elle le quitte après lui avoir préparé une chambre aux portes et fenêtres solidement calfeutrées, une « chambre anti-pomme ». Elle décide de se rendre au cimetière, auprès de la tombe de feu son mari pour la garder et tenir compagnie au défunt époux afin qu'il ne s'effraie pas durant les bombardements.

Ce choix, avoue le héros, suscite en lui un sentiment de jalousie: « *C'est parce qu'il est mort qu'elle le préfère à moi.* » Puis il y a la fille des voisins qui lui confie sa cage de canaris, un mâle et une femelle, pour qu'il les garde pendant son absence avec les siens. Malgré le soin qu'il apporte aux deux volatiles – il s'en occupe plus que de lui-même – le canari mâle meurt lors d'un raid aérien et l'homme malade l'enterre sous un palmier-dattier du jardin de la maison. Quelque temps après, la femelle meurt à son tour.

Elles portent la patrie dans leurs bagages

Le mythe sumérien dit que lorsque la déesse Inanna a voulu remonter du monde inférieur vers le sien, c'est-à-dire ressusciter, les juges du monde inférieur l'ont interceptée, annonçant: « Nul ne peut remonter du monde inférieur sans qu'il y ait un remplaçant. » Il semblerait que les Irakiennes qui ont pris le chemin de l'exil aient laissé sur la terre natale leurs âmes en guise de « remplaçantes ».

Naguère, l'Irakien n'était pas migrateur. C'est pour fuir les guerres et leur misère que, ces dernières années, des millions de gens quittent aussi massivement leur Mésopotamie natale, terre fertile où il faisait bon vivre, regorgeant d'or noir de surcroît. Le travail ne manquait pas. Au contraire, pour faire face à la pénurie de main d'œuvre, il fallait faire appel à celle d'autres pays, dont l'Égypte, le Soudan ou le Maroc.

Bien sûr, il y avait des exilés politiques (communistes, nationalistes arabes, islamistes, etc.) qui avaient quitté le pays à certaines périodes de son histoire. Mais c'est la première fois que l'on a des réfugiés qui n'ont pas visité leur pays depuis cinquante ans, et qui continuent à le porter dans la poche la plus proche du cœur.

Aussi, le tableau ne serait-il pas complet sans un mot sur les écrits produits à l'étranger, Paris, Londres, Le Caire, Berlin, la Californie… Bref partout où des Irakiennes ont emporté le drame de leur pays dans leurs bagages. Elles s'efforcent de créer, d'écrire, de publier, de participer à des événements, colloques ou congrès. Mais leurs voix, bien que sincères et déchirantes, restent le plus souvent inaudibles au milieu du boucan médiatique et des intérêts supérieurs.

Dans ce contexte, des initiatives de la trempe de celles prises par l'écrivain Buthaina Al-Nassiri offrent un bel exemple de solidarité entre gens de lettres. Si elle réside au Caire depuis de nombreuses années, son fils aîné habite à Bagdad. Elle compte donc parmi ces femmes qui ont laissé une partie de leur âme au pays. Un profond sentiment d'injustice l'anime face à l'interdiction imposée à ses compatriotes d'importer toute nouvelle édition de livres: la connaissance aussi est frappée d'embargo. Être privés de lecture fraîche représente pour beaucoup d'Irakiens une frustration encore plus insupportable que le manque de nourriture.

Al-Nassiri a donc entrepris des campagnes de collecte d'imprimés, livres et magazines usagés en Égypte, au Liban et en Jordanie pour les envoyer aux sevrés du savoir en Irak. Avec ses modestes moyens, elle a également fondé une maison d'édition cairote portant le nom d'*Ishtar* (un avatar du nom de la déesse sumérienne *Inanna*). Dans la foulée, elle a lancé la collection *Culture contre blocus,* spécialisée dans la publication d'œuvres d'écrivains irakiens de l'intérieur ne pouvant pas s'offrir le luxe de publier sur place. En première page de chaque livre paru dans cette collection, l'on peut lire ceci :

« *Le blocus total imposé au peuple de Mésopotamie vise en premier lieu à assiéger l'esprit, l'âme et la créativité des Irakiens. La présente collection constitue une brèche dans le mur du siège. À celle-ci, contribuent des braves qui croient que la culture humaine est une osmose et une continuité et que le verbe est la conscience de la nation. Merci à quiconque a empoigné une hache pour fendre le rempart du blocus.* »

Dans *La route vers Bagdad,* nouvelle publiée au Caire au sein d'un recueil portant le même titre, Buthaina Al-Nassiri retrace le voyage d'une mère irakienne rentrant au pays après la guerre pour y rencontrer son fils. Bien entendu, le trajet emprunte la route terrestre, pour cause d'embargo aérien. D'une grande sensibilité, le récit nous fait vivre le périple comme si nous étions parmi les passagers du minibus traversant le désert. C'est comme si les scènes se déroulaient sous nos yeux sur un écran de cinéma.

Mais le passage le plus instructif de la nouvelle est la description du point de passage de Traibil, à la frontière entre l'Irak et la Jordanie. Des millions d'Irakiens ont transité par ici ces douze dernière années, dans un sens ou dans l'autre. Tous ceux qui l'ont connu savent que Traibil est une sorte de minuscule État à lui tout seul. Il y a là un office de passeports et une antenne des services de sécurité pour vérifier l'identité des voyageurs, entrant ou sortant. Il y a des cabines de fouille de bagages et de personnes. Il y a aussi une prison spéciale pour enfermer ceux qui sont pris à tenter de quitter le pays avec de faux passeports ou à faire de la contrebande. Il y a même une banque pour que les sortants puissent déposer le surplus de devises étrangères dépassant le maximum légal autorisé; et les entrants, consigner bijoux et téléphones portables en vue de les récupérer lors de la sortie du territoire.

Lorsque les inspecteurs fouillent les bagages des personnages de la nouvelle, côté jordanien d'abord, puis côté irakien, ils trouvent un peu de tout : vêtements, chaussures, livres, nécessaire de rasage, mais aussi huile, farine, sucre, thé, yaourt, galettes de pain arabe, savon, coton, médicaments... et bougies. Le pays manque de tout. Chaque rapatrié apporterait, s'il le pouvait, les échoppes du monde entier à sa famille.

Dans une autre nouvelle du recueil *La route vers Bagdad,* Al-Nassiri aborde un autre sujet, tout aussi sensible et d'une manière tout aussi réaliste : un prisonnier de guerre libéré revenant parmi les siens après des années de captivité. Que trouve-t-il ? La maison qui était sienne ne l'est plus. La femme qui était sienne ne l'est plus. Les enfants qui étaient siens ne le sont plus. « *Il connaissait trois d'entre eux, mais à présent il peine à se rappeler leur prénom et savoir qui est qui.* » En revanche, il découvre seulement le petit dernier, encore fœtus dans le ventre de sa mère dix ans auparavant, au moment du départ du père. Épilogue de l'histoire : les enfants ne supportant plus cet étranger à la maison, il reprend le sac de voyage qu'il avait à son retour de captivité et, discrètement, file « à l'anglaise ». Pour toujours.

Lamea, « réfugiée sanitaire » en Californie

Il y a plus de vingt ans, le président Saddam Hussein a convoqué la célèbre poétesse Lamea Abbas Amara. Il lui a demandé : « Pourquoi n'écris-tu plus ? ». En effet, elle s'était retirée des lumières et abstenue de se joindre à la cohorte des panégyristes. Elle a répondu : « Parfois je me tais. J'ai besoin d'être poussée pour écrire. » « Non, a rétorqué le président, tu as plutôt besoin d'être attirée. »

Lamea Abbas Amara est l'une des plus illustres poétesses arabes. Elle a obtenu de nombreuses décorations officielles de plusieurs pays. Jeune, elle était l'égérie de nombre de poètes, dont As-Sayyab, le père de la poésie irakienne contemporaine.

Lors de la guerre Iran-Irak, l'un de ses fils a été appelé pour le service militaire, ce qui a inspiré l'un des plus beaux textes de la poétesse. Un jour, elle était assise dans le hall d'un grand hôtel de Tripoli, en Libye, lorsqu'une dame portant le tchador est passée, accompagnée de ses deux fils, « beaux comme des astres ». Immédiatement, Lamea l'a reconnue : Frozanda Mahrad, sa camarade iranienne qui, une trentaine d'années auparavant, avait fait ses études avec elle à l'École Normale de Bagdad.

Plus tard, la dame et ses deux fils prendront leur avion. Mais Lamea était tourmentée. Une idée l'a obsédée : et si l'un des fils de son amie était soldat dans l'armée iranienne ? Et si lui et son propre fils se faisaient face ? Quelle calamité que la guerre !

Le père de Lamea était l'un des plus habiles orfèvres d'argent de son temps. Il était de confession sabéenne, l'une des nombreuses religions formant la mosaïque sociale irakienne. La communauté sabéenne s'est toujours illustrée dans l'orfèvrerie. À ce titre, M. Amara a participé à une exposition organisée à Paris en 1937. Il a par ailleurs obtenu la Légion d'honneur en France. Et en 1939, il a participé à une exposition aux États-

Unis. Sa fille conserve encore la photo de son père avec le président Franklin D. Roosevelt lors de l'inauguration.

Lamea a vécu dans bien des villes : Beyrouth, Le Caire, Paris, où elle a occupé le poste de conseiller culturel à l'ambassade d'Irak, dans les années 70, ainsi que le poste de représentant permanent adjoint à l'Unesco. Elle s'est finalement installée à San Diego, en Californie, en 1985. « Je suis, dit-elle, une réfugiée sanitaire à San Diego, car son air convient à ceux qui souffrent de difficultés respiratoires. » Elle avait l'habitude de rentrer en Irak en automne. Mais le déclenchement de la deuxième guerre du Golfe l'a privée, à l'instar de nombreux Irakiens, même de faire ses adieux à sa mère, alors grabataire et mourante.

Elle se rendait dans les villes américaines abritant d'importantes communautés irakiennes pour y déclamer ses poèmes. Elle consacre toujours une partie des bénéfices ainsi réalisés à certaines familles pauvres. Ses poèmes reflétaient la peine qu'éprouvaient les Irakiens émigrés en Amérique de voir leur pays d'adoption mener une guerre contre leur pays d'origine. Lorsqu'elle a eu appris la destruction du *Pont Suspendu*, l'un des plus beaux de Bagdad, elle a écrit un poème dans lequel elle souhaitait que fût paralysée la main qui l'avait détruit !

Dans un poème intitulé « Ennemy », qu'elle a lu lors d'une cérémonie d'hommage qui lui était consacrée par l'Association des Arabes américains contre le racisme, au début 1997, elle dit:

> *J'avais un nom*
> *Ma sœur et mes enfants avaient des noms*
> *Du jour au lendemain*
> *Soudain, on nous a affublé d'un nom unique*
> *Comme un uniforme d'écolier:*
> *Tous sommes désormais appelés* Ennemy
> *Je n'ai jamais affamé un enfant de Californie*
> *Je n'ai jamais, de haine, brûlé des usines*
> *Je n'ai jamais détruit de pont sur l'Hudson*
> *Je n'ai jamais bombardé Seattle*
> *Je n'ai jamais enveloppé de noir des veuves*
> *Pourquoi m'appelle-t-on* Ennemy*?*

Malgré son soutien à son pays d'origine, les listes officielles publiées par le pouvoir la rangent dans la catégorie des « apostats ». Lorsque je lui ai demandé son avis à ce sujet, elle a répondu: « Apostasie par rapport à quoi? Un apostat renie une position pour en prendre une autre. Or, moi, j'ai toujours évité toutes les positions. Non, à vrai dire, je n'ai pas accordé trop d'importance à cette affaire. »

Un jour, à Beyrouth, lors d'une soirée chez le poète Adonis, l'écrivain Salah Steitié lui a demandé son âge. Choquée, l'assistance a trouvé la question inopportune. Mais Lamea a répondu, très calmement: « J'ai cinq milles ans. » Elle n'a pas exagéré: elle est la fille d'une civilisation de cet âge. Et en est digne.

À vingt ans, nue devant son geôlier

Haifaa Zangana a, elle aussi, porté l'Irak dans ses bagages, se condamnant à une souffrance irrémédiable. Cette pharmacienne, mais aussi écrivain et artiste-peintre, est le fruit du mariage entre un père kurde et une mère arabe. Elle s'est aventurée en politique. Mal l'en prit: licenciement, chasse à la femme, clandestinité, arrestation, prison. Et torture. Puis l'exil, à Londres, depuis 1976. Là, elle tente de panser ses plaies par l'écriture et la peinture.

Outre ses nombreuses participations à des expositions de peinture, elle a publié, en arabe et en anglais, un livre sur la ville kurde de Halabja, qui avait été bombardée à l'arme chimique en 1988. De son roman *Dans les galeries de la mémoire**, la critique littéraire du *Guardian* affirme: « *Elle* [Zangana] *a écrit ce livre comme un remède pour guérir du passé et se délivrer des cauchemars. C'est aussi son remède contre l'amnésie.* »

Avant d'aborder ce roman, il convient de signaler qu'outre celui-ci, un autre roman courageux a été écrit à l'étranger par une autre Irakienne

---

* Aux éditions Dar al-Hikma, Londres, 1990.

sur la torture, l'humiliation et le viol dont sont victimes les prisonnières politiques. Il s'agit de *La Gamine*, d'Alia Mamdouh, qui réside en France. Bien que le point de départ des deux auteurs soit différent, de même que les raisons de leur exil respectif, toutes deux mettent le doigt dans la même plaie et s'accordent à dénoncer la répression et la torture et à attirer l'attention sur le sort de leurs victimes, hommes et femmes.

Dans son roman, Haifaa Zangana joue la confusion entre elle-même et son héroïne. Dès la préface, elle prétend avoir reçu des lettres d'une amie émigrée à Londres et avoir longuement hésité à les publier. Quelles sont donc les confessions livrées par ce personnage réel-fictif qui a refusé de « passer à table » malgré les tortures que lui avaient fait subir ses geôliers ?

Comme tous les récits s'attaquant à la cruauté des hommes, ce roman comporte un avertissement à l'adresse des « âmes sensibles », similaire à celui mis en avant de certains films ou reportages de télévision.

« *J'avais vingt ans. Nue au milieu de la chambre, entourée de quatre hommes, mes caisses de livres, mes tracts, un bureau imposant, des magnétophones, tous rideaux baissés. L'un des hommes a tourné autour de moi, puis a passé la main pour tâter mon corps. Des rires ont retenti dans la pièce.* » La peur l'empêchait même d'être écœurée. Elle a souri bêtement, alors l'homme l'a giflée. De vulgaires invectives pleuvaient. L'homme l'a frappée sur la tête. Elle a heurté le mur. Les lumières ont commencé à danser dans ses yeux.

Sa seule préoccupation consistait à pouvoir tenir pendant deux jours, conformément à ce qu'on lui avait enseigné à la cellule du parti. Passé ce délai, répondre aux questions ou faire des aveux présenterait moins de gravité, les camarades ayant, entre-temps, appris la nouvelle de son arrestation et changé en conséquence de lieux et d'heures de rencontres.

Écrire dans un pays lointain, à l'abri des représailles, offre le recul nécessaire à une vision analytique moins subjective. Dans le dernier chapitre, ajouté comme un rattrapage, la romancière confie : « *Nos émotions étaient enterrées sous les décombres de l'idéologie. Nous vêtions l'habit du dogme comme un bouclier pour nous prémunir et, aussi, pour pouvoir facilement accabler "l'autre" si nous avions l'illusion qu'il déviait du droit chemin dogmatique. Nous ignorions l'amour, faisions fi des sentiments. Nous vivions constamment dans la peur obsessionnelle que "l'autre" pusse nous conduire à notre perte, nous dénoncer s'il était arrêté ou nous noyauter si par bonheur il était quand même bien libéré.* »

Quiconque lit Haifaa Zangana réalise que la tragédie irakienne n'est pas imputable uniquement à l'étranger, mais qu'une part non négligeable de celle-ci puise ses sources à l'intérieur de nous-mêmes. Acception étroite du militantisme partisan. Déchirement fratricide. Refus de la différence. Mainmise sur le pouvoir. Annihilation de l'autre... *Dans les galeries de la mémoire* explique comment chaque camarade se posait continuellement une question aussi lourde à porter qu'une tonne de plomb pesant sur le thorax : « *Vais-je craquer si on m'arrête ? Vais-je mourir plutôt qu'avouer ?* »

La mort, regrette l'auteur, « *était le seul gage d'innocence; survivre fournissait une preuve virtuelle de trahison* ». Personne, au sein du parti, ne songeait à remettre en question, encore moins contester, cet « axiome ». « *Sans le savoir, nous étions en train de nous vêtir, pièce après pièce, des habits du bourreau. Nous évitions obstinément de nous regarder dans le miroir.* »

C'est également à Londres qu'a élu domicile Samira Al-Mana. Depuis plus de quinze ans, avec les moyens du bord, elle et son mari y éditent le magazine *Al-Ightirab al-adabi* (« Littérature dépaysée »). Ce périodique s'efforce de publier des œuvres d'hommes et de femmes irakiens, en particulier, et arabes, en général, éparpillés aux quatre coins du monde.

L'un des numéros comporte une réflexion signée par l'éditrice, Samira Al-Mana, elle-même. Intitulé « L'abri [antiaérien] d'Amiryya », l'article aborde un sujet pénible pour beaucoup d'intellectuels irakiens : l'hypocrisie et les enchères dont font parfois montre certains de leurs congénères arabes au nom du drame irakien. Avec ses derniers, le régime fait preuve de générosité, et ils lui rendent la pareille. Le texte raconte comment Fatima, une Irakienne émigrée, assistait à un congrès mondial sur les réfugiés. Une dame arabe, qui revenait d'une visite en Irak, a alors pris la parole pour stigmatiser un crime que les avions alliés avaient perpétré, en février 1991, en détruisant cet abri souterrain et brûlant vifs des centaines d'enfants, de femmes et de vieillards.

Or l'intervenante a débité son vibrant réquisitoire le visage fardé de couches de poudres et couleurs de maquillage. Sa gestuelle dévoilait des mains aux doigts lestés de bagues en or et de solitaires rutilants...

Sur un autre plan, les intellectuelles exilées s'intéressent aussi aux pays hospitaliers qui les ont accueillies, suivent leur évolution sociale et politique. Elles observent aussi, non sans une certaine amertume, les effets de la transplantation sur leurs propres enfants.

Une nouvelle portant le titre *Ces enfants !* offre un exemple sympathique de littérature pleine de tendresse et d'humanité. Écrite par Salima Saleh, qui vit à Berlin, la nouvelle a été publiée en 2002 dans le numéro 51 du magazine *Al-Ightirab al-adabi*

(« Littérature dépaysée »). On peut y lire la complainte d'une mère irakienne émigrée à propos de son fils :

« Noureddine ne mange pas les spécialités que je cuisine et leur préfère ces plats prêts à consommer qu'il suffit de réchauffer. Il refuse de dire où il va le soir. Les prénoms de ses amis sont devenus des secrets. L'endroit où il joue au football est devenu un secret. Le matériel scolaire qu'il préfère est devenu un secret. Que de secrets entre nous ! Il lit avec délectation Hermann Heisser et Karl Kraus mais ne trouve pas de langue pour me parler. Puis à nouveau, il change d'amis, puis il fredonne sur sa guitare "Le travail est une pourriture". »

La peine de l'exilée constatant la fissure de la communication entre elle et ses enfants grandis sous d'autres cieux est un des retentissements du grand cri de la femme irakienne. Elle est parfois aussi l'écho des cris de ces enfants eux-mêmes, tel ce jeune homme qui, après avoir toujours vécu à Londres depuis sa plus tendre enfance, a été licencié par son employeur britannique dès les premiers jours des opérations militaires de la deuxième guerre du Golfe. Dans son roman *La Passion*, Alia Mamdouh inscrit ce fait divers, parmi tant d'autres, en faisant dire au fils de l'héroïne :

« Je pleurais tout seul. Mais, à mes yeux, mon pays était plus grand que mon besoin de lui. Lorsque je me suis présenté devant le directeur pour l'entendre me signifier mon renvoi d'une manière toute anglaise, c'est-à-dire non dénuée de fantaisie, la scène avait quelque chose d'irréel : tout se passait comme si c'était nous qui avions attaqué la Grande-Bretagne et comme si c'était à moi de présenter mes excuses ! »

PAROLES D'IRAKIENNES

LORSQUE LES JOURS
DEVIENNENT CRÉPUSCULE

Roman
de Hayat Sharara

(extrait)

Les visages des femmes, de Salwa et d'Abboud m'étaient revenus à l'esprit; j'ai vu leur destin défiler devant moi. À ce moment, le doyen de la faculté a pénétré dans mon bureau. Il est entré directement dans le vif du sujet, sans introduction d'aucune sorte:

« J'ai quelque chose à te demander. Que tu dois exécuter, c'est urgent. Un haut responsable vient de m'appeler: il veut que je règle l'affaire et lui donne ma réponse immédiatement. Il s'agit de Mahmoud, l'étudiant en troisième année. Tu lui as mis zéro au premier trimestre, et cinq sur vingt au deuxième. Autant dire qu'avec un total de cinq petits points sur quarante, il est fichu; aucun espoir de repêchage. Tu dois lui accorder une note suffisante au moins pour qu'il réussisse à l'examen de fin d'année.

– Comment le pourrais-je alors qu'il n'a jamais assisté au moindre cours au premier trimestre, et n'est venu que deux ou trois fois au deuxième ? Les cinq points que je lui ai donnés, il ne les méritait même pas. C'était de la magnanimité de ma part. Je ne peux pas piétiner ma conscience de la sorte. »

Il a enchaîné, rigoureusement, avec même une pointe de colère :

« Une conscience, on en a tous, tu n'es pas le seul. C'est une chose que je t'ordonne. Tu ne peux pas refuser. L'ordre vient d'un haut responsable. Nous devons obéir, toi comme moi.

— Et pourquoi est-ce que ça ne serait pas au chef du département ou à la commission d'examens de le faire ? Comme ça, c'est eux qui en assumeraient la responsabilité, collectivement.

— Impossible. C'est toi qui es chargé de cette matière, et seul ton avis compte. Puis tiens compte de l'aspect humain de la situation : le pauv' gars a déjà redoublé la troisième année. Si nous ne l'aidons pas, il sera renvoyé de la fac. Les notes, ce n'est quand même pas de l'or à distribuer parcimonieusement. Tu peux en donner autant que tu veux pour peu que tu le veuilles, bon sang !

— Dans ce cas, je devrais aider tous les autres étudiants. Ils n'ont rien à lui envier en assiduité et connaissance.

— Fais ce que tu veux. L'important est que cet étudiant réussisse. Personne ne t'en tiendra rigueur.

Il n'y a qu'à récupérer les registres des notes auprès de la commission d'examens, puis à modifier les notes en conséquence.

– Et si je ne le faisais pas ? »

Le doyen m'a lancé un regard froid, scrutateur :

« Comme tu le sais, à la fin de chaque année, le chef du département rédige un rapport d'appréciation sur chaque professeur. Si j'y adjoins la mention *Refuse de collaborer,* tu n'ignores pas les conséquences…

– C'est une menace ?

– Non. Mais je préfère te dire la vérité par avance. Tu dois réaliser que les instructions deviennent de plus en plus sévères, année après année. Ne va pas croire que la façon de traiter les affaires qui prévalait il y a un an ou deux est encore en vigueur aujourd'hui. Nous sommes en état de blocus. Nous devons tenir les choses d'une main de fer pour éviter la cacophonie et le désordre : Mahmoud et quelques autres étudiants ne peuvent pas être renvoyés de la fac car c'est eux qui la gardent et assurent sa sécurité. Si ses résultats ne sont pas satisfaisants à la fin de l'année, c'est toi qui les changeras, en signant de tes deux mains. »

En écoutant le doyen, j'ai senti mes forces s'étioler, ma contenance s'effondrer. Son habit militaire vert, qu'il mettait la plupart du temps, m'a paru comme une arme braquée sur moi. Les bulletins de notes avaient été photocopiés, des exemplaires étant conservés aux bureaux administratifs.

S'ils voulaient faire pression sur moi ou me faire chanter pour une affaire plus grave, ils pourraient toujours m'accuser de tripatouillage et me soumettre au conseil de discipline. Ils s'arrangeraient alors pour me convoquer plus d'une fois, tantôt en reportant la séance, tantôt en s'absentant délibérément, histoire de nourrir mon angoisse et jouer avec mes nerfs. Je ne savais plus quoi faire. Le doyen n'a pas jugé utile de prolonger l'entrevue. Il est parti. J'ai croisé mes bras sur la table et posé ma tête dessus pour la reposer. J'avais envie de pleurer un peu pour me soulager. Mais la décence m'en a empêché. À cet instant, j'ai songé à prendre ma retraite. Mais j'ai vite réalisé qu'ils ne l'accepteraient pas tant que je refusais les ordres. On a frappé à la porte. Je me suis aussitôt redressé. Mona est entrée, portant les bulletins de notes. Elle m'a salué, souriant avec tristesse, puis a dit :

« Professeur, voici les notes. Le doyen veut qu'elles soient modifiées sur-le-champ pour que je les lui rapporte tout de suite. »

Elle a posé le registre. Les notes de Mahmoud avaient été effacées au tipex. Les cases correspondantes étaient blanches. J'ai retiré mon stylo de ma poche de chemise et inscrit *15* pour le premier trimestre et autant pour le second. Ainsi, il était gratifié d'un total de trente sur quarante ; je n'aurais donc plus à recommencer pour le dernier trimestre. Quinze est une note honorable que seuls les très bons étudiants obtiennent, en temps normal. Après avoir relevé la tête, j'ai croisé le regard triste de Mona, qui a immédiatement repris le registre, avant de claquer les talons. J'ai senti la corde du doyen se desserrer autour de mon cou, puisque désormais il avait obtenu ce qu'il voulait. Mais elle serrait ma conscience et me torturait. Comment donc ai-je bien pu accorder une telle note à un étudiant qui ne valait pas plus que zéro?

Suite à cela, les requêtes d'augmentation de notes pleuvaient. Non seulement de la part du doyen, mais aussi de la part des autres professeurs et des étudiants eux-mêmes. Pour eux, si j'étais capable de le faire une fois, et d'une façon aussi caractérisée, pourquoi ne le referais-je pas, surtout pour des cas moins désespérants? Je peinais à trouver des arguments satisfaisants. L'affaire avait été si rapidement ébruitée qu'elle était devenue mon point de faiblesse au travail. Les revendicateurs de tous poils s'appuyaient dessus pour réclamer des notes plus élevées. Certains étudiants me proposaient même des cadeaux à cette fin: pas de charité sans contrepartie. Je déclinais les cadeaux et m'obstinais à ne relever la note en aucun cas si le niveau de l'étudiant était trop bas. Mais – je l'apprendrais plus tard – ils avaient trouvé la parade: me « shunter ». Ils s'adressaient à d'autres professeurs, leur faisaient des cadeaux respectables et leur demandaient d'intercéder en leur faveur auprès de moi. L'enseignant « messager » venait ensuite me convaincre que tel étudiant, devant faire vivre sa famille, passait trop de temps à gagner sa vie pour pouvoir bien étudier; le père de tel autre était mourant et il devait donc passer de longs moments avec lui à l'hôpital, et ainsi de suite. Ils tentaient de m'apitoyer et me prendre par les sentiments. Tout cela n'était qu'affabulation. Un jour, je m'enquis auprès de l'étudiant dont le père était soi-disant « grabataire à l'article de la mort » – comme me l'avait affirmé mon collègue Mounir. L'étudiant m'apprit que son père se portait comme un charme et faisait son métier normalement dans son magasin. J'ai alors réalisé que tous se moquaient de moi, exploitaient ma bonté et me prenaient pour un crétin croyant encore à des notions comme la compassion, la compréhension, l'esprit charitable… Autant de mots creux jetés aux oubliettes par les temps qui courent et auxquels ne croient plus que des gens comme moi.

SOUHAITS...

Poème
de Rim Qaïs Kobba

Soudain,
en pleine sieste des canons,
entre deux guerres,
nous nous sommes rencontrés,
avons ensemble rêvé que les cimetières
devinssent pistes de danse.
Tu as dit : « Ce qui été détruit
de nos espoirs
s'érigera en gratte-mirage. »
J'ai dit : « Les canons sont morts,
les guerres dorment longtemps. »
Et plus vite que le sifflement d'une balle,
une armée est passée.
Nous oscillions entre dépaysement
et roucoulement,
demeurés songeurs :
« Ah ! si les roquettes devenaient palmiers ! »
Un court instant,

et notre troisième guerre a éclaté.
Plus de place pour les souhaits :
du mutisme, tu as fait ta profession,
et moi, de la catastrophe, mon métier.

LE RETOUR DU CAPTIF

Nouvelle
de Buthaina Al-Nassiri

(extrait de son recueil *La Route vers Bagdad*)

Avant toute chose : la maison à laquelle il retournait n'était plus la sienne ; ni sa femme, la sienne ; ni ses enfants, les siens.

La voiture le déposa devant une maison à étage peinte de blanc et entourée d'un grand jardin. Il n'avait jamais mis les pieds dans ce quartier situé à la périphérie de la ville.

Au seuil, il y avait une femme dont les veines saillantes du cou frémissaient de nervosité. Le sourire feint sur ses lèvres au moment d'accueillir le revenant ne réussit pas à dissimuler le renfrognement de son front. Dès qu'il posa pied dans la maison, elle se précipita vers lui, puis, soudain, comme retenue par une force invisible, elle s'arrêta net, se contentant de tendre la main vers lui.

Les enfants étaient demeurés figés, assis sur les canapés du salon. Leur embarras était visible, comme s'ils étaient contraints de se tenir sages et se montrer bien élevés pendant la visite d'un hôte inconnu qui allait bientôt repartir. Il en connaissait trois. Mais à présent il devait faire des efforts pour se rappeler leur prénom et savoir qui était qui. Quant au quatrième, le petit dernier, il ne l'avait jamais vu : il n'était pas encore né dix ans auparavant, au moment où il était parti, laissant sa femme enceinte.

Les présentations commencèrent par des questions d'ordre général de sa part, et des réponses évasives, de la leur. Elles se terminèrent par un silence gêné et pesant. Il demanda à la femme, sans oser la regarder dans le yeux :

« Quand avez-vous acheté la maison ? »

La voix de la femme changea, devenant plus grave :

« Nous n'avons pas acheté une maison toute prête. Je l'ai fait construire empan par empan. J'avais vendu l'ancienne maison et emprunté à la banque. J'ai moi-même surveillé les travaux tous les jours. C'étaient des moments difficiles, avec quatre enfants à élever.

– Tu as réalisé là un travail formidable, dit-il en levant les yeux vers le plafond.

– J'ai remboursé la dernière traite l'année dernière.

– Je ne t'aurais jamais crue capable de garder les pieds sur terre. La femme que je connaissais comptait sur moi pour tout. Quand je pensais à vous là-bas, cette idée me tourmentait.

– C'étaient des moments difficiles. Puis, dix ans ce n'est pas rien.

– Non, en effet.

– Puis le temps, ça vous change…

– Oui, effectivement.

– Veux-tu visiter la maison ? dit-elle avec enthousiasme.

– Comme tu veux. »

*

Les meubles de leur chambre à coucher n'avaient pas changé. C'était le seul souvenir resté intact de leur vie passée – et il en éprouva un sentiment de gratitude envers elle. L'armoire était là, avec ses quatre portes et sa galerie aux gravures à fleurs et oiseaux. La coiffeuse à miroir carré était également là, ce miroir dans lequel il ne reconnut pas les traits qu'il y avait vus pour la dernière fois dix ans auparavant. Il voyait à présent un visage amaigri et osseux, une tête chenue, des épaules tombantes… Son âge véritable avait été lesté de fausses années supplémentaires.

Au moment de se coucher, il découvrit ce même lit qui, naguère, avait hébergé leurs rêves ensemble. Captif, il avait souvent rêvé du moment où il s'y glisserait à nouveau. Mais l'homme et la femme étaient devenus des étrangers. Il prit soin de ne pas toucher le corps allongé à côté de lui dans le grand lit ; il avait remarqué qu'elle se tenait à l'écart, recroquevillée. Il fixa le plafond éclairé par la lumière de lune pénétrant par la fenêtre. Ses pensées voyagèrent à des milliers de kilomètres de là, traversant les frontières jusqu'au camp de détention. Il vit ses camarades restés là-bas, les imagina plongés dans un profond sommeil pour compenser la fatigue de l'état d'éveil de la journée. Il revit les sourires furtifs qu'ils faisaient en rêvassant sur le retour à la maison.

Il se rappela le grincement des lourdes portes de fer et l'ordre criard des gardiens : « Réveillez-vous. » Arrachés à leurs rêves, ils sont conduits à coups de bâton vers la cour du camp, lui tapi dans la longue file de prisonniers. La voix monotone d'un officier sans visage martèle : « Votre pays vous a abandonnés. Vous resterez ici, avec nous, jusqu'à la pourriture. » Les rayons de soleil deviennent de plus en plus brûlants. Ses bras et ses jambes sont comme paralysés, et sa bouche, asséchée. Il n'en peut plus ; il tombe par terre. Les gardiens s'acharnent sur lui, le tirant tant par les bras qu'il croit qu'ils vont s'arracher. La porte d'une petite cellule-tombe s'ouvre, il y est jeté. Le claquement de la porte se refermant résonne longuement dans son crâne. Il s'aperçoit que la hauteur de la cellule l'oblige à se plier pour s'asseoir. Il se met en boule et pousse des cris saccadés comme un animal blessé.

Il entendit alors une voix l'appelant avec insistance par son prénom. Il ouvrit les yeux, mais une lumière aveuglant fendit l'obscurité, le contraignant à les refermer.

« Tout va bien ?

– Qu'est-ce qui s'est passé ?

– Tu poussais des cris.

– Je rêvais. » Se rendant compte de l'assèchement de sa gorge, il ajouta :

« Je peux boire ? »

La femme lui apporta un verre d'eau qu'il but goulûment. Il se dressa sur le lit ; le sommeil l'avait définitivement boudé.

« Tu te rends compte ? Là-bas je rêvais de la maison chaque nuit. Maintenant que j'y suis, c'est du camp que je rêve. Je crois que la tourmente est loin de se terminer.

– Si tu as envie de parler, j'écoute.

– Je voulais te demander : pourquoi ne m'avoir pas envoyé une lettre ou une carte pendant toutes ces années ?

– Nous ne savions pas que tu étais vivant.

– Pourquoi ne pas avoir tenté de te renseigner par l'intermédiaire de la Croix-Rouge, comme le fait tout le monde ?

– J'ai essayé au début. Mais ton nom ne figurait pas dans leurs listes. »

Il rétorqua nerveusement :

« Si tu avais fait des efforts, tu m'aurais retrouvé. Tu parles ! Vous m'avez laissé tomber, oui !

– Tu ne peux rien me reprocher, protesta-t-elle d'un ton qui était monté d'un cran. C'étaient des moments difficiles. J'avais assez de soucis comme ça. Et puis tout le monde te considérait comme porté disparu.

– Il est clair que ma réapparition n'est pas la bienvenue. Toi, tu me cries après ; les enfants ne me reconnaissent pas. Tu n'avais donc pas le temps de leur parler de moi ? Tu étais si occupée à construire des baraques ? Qu'est-ce qu'elle avait, notre ancienne maison, pour que tu t'obstines à en changer de la sorte ? »

Elle s'extirpa précipitamment du lit :

« Je ne te répondrai pas », dit-elle fermement, avant de quitter la chambre en claquant la porte.

Il regarda autour de lui, comme un captif. Il eut l'impression que les murs se rétrécissaient et que le plafond s'abaissait. Il se mit en boule sur le lit et se convainquit qu'il n'avait pas été libéré, que le cauchemar n'était pas fini, que tout ce qui l'entourait n'était qu'illusion. Cette grande maison qui le dominait, ces enfants qui ne le reconnaissaient pas, cette femme qu'il ne pouvait approcher d'un doigt…

*

Il descendit aux aurores, en veillant à ne pas faire de bruit. Dans le jardin, il secoua par mégarde une branche d'arbre; la rosée du matin se répandit sur son visage et ses vêtements. Se retournant machinalement, il vit le dernier de ses enfants assis sur les marches menant à la terrasse. L'enfant avait la tête baissée entre ses petites épaules. Il semblait pensif, méditant, triste…

L'homme s'assit à côté de l'enfant, qui sursauta comme surpris par l'intrusion d'un inconnu, puis s'écarta légèrement en écoutant la question de l'homme :

« Mais qu'est-ce que tu fais ici de si bonne heure ?

– Je réfléchissais.

– Tu ne dois pas aller à l'école ?

– Je ne veux pas y aller aujourd'hui.

– Bon d'accord, pas la peine d'aller à l'école aujourd'hui. Moi aussi je voudrais qu'on passe un peu de temps ensemble pour mieux faire connaissance…

– Mais ce n'est pas pour ça que je ne veux pas aller à l'école.

– Alors sans doute que tu as une bonne raison. Je peux savoir laquelle ?

– C'est à cause de mon ami.

– Ah ! bon ? Qu'est-ce qu'il a fait ?

– Ben, rien… C'est notre voisin. Il t'a certainement vu et il va le raconter à tout le monde à l'école.

– Et alors où est le mal ? Quel rapport entre le fait que tes camarades sachent que je suis revenu et ton désir de t'absenter ? Je ne comprends pas… »

L'enfant baissa la tête et balbutia :

« Parce que tous pensaient que tu étais mort en martyr il y a dix ans. »

L'explication, inattendue, sidéra l'homme et le rendit muet un long instant. Il reprit ses esprits et poursuivit :

« C'est toi qui leur avais dit ça ? C'est si mal vu que j'aie été *seulement* fait prisonnier ? » Face au silence du garçonnet, l'homme insista :

« Tu aurais préféré que je sois mort ? » L'enfant se mit alors à parler sur un rythme soutenu et un ton confiant, comme s'il récitait une leçon apprise par cœur :

« Mes amis disent que le martyr meurt en défendant, alors que le prisonnier de guerre est un lâche qui préfère se rendre pour survivre.

— Dans la vraie guerre, répondit l'homme en avalant sa salive, les choses ne sont pas aussi simples. Tous les prisonniers de guerre ne sont pas des lâches. Il peut y avoir eu une erreur dans le plan de l'état-major, un épuisement des munitions, un encerclement imprévu par un nombre trop élevé de soldats ennemis... »

L'enfant haussa les épaules, indifférent :

« J'aurais préféré que tu restes un martyr aux yeux de mes camarades. Comment je vais les regarder en face maintenant ?

— Ah ! Tu aurais préféré que je sois mort ! »

L'homme secoua la tête d'abattement, ne croyant pas ses oreilles. Son désespoir et son amertume s'amplifièrent. Il pensa à lui-même :

« Comment donc ? Voilà le plus petit de mes enfants qui aurait souhaité me voir demeurer à jamais aux oubliettes... rien que parce que mon retour le gêne devant ses copains ! Que faire ? Chercher une guerre quelque part pour combattre et espérer être tué ? » Il se leva prestement, comme quelqu'un qui venait de prendre une décision. Il gravit les marches vers la porte de la cuisine, où son regard croisa celui de sa femme. Il comprit alors qu'elle avait écouté la conversation entre lui et son puîné, ce qui exacerba la honte qu'il éprouvait à être indésirable dans cette maison. Il traversa la cuisine promptement, puis monta l'escalier tout aussi fermement vers la chambre à coucher.

*

Récit 1

« Alors qu'il était assis à côté de son dernier fils, il s'est levé brusquement et s'est dirigé vers la cuisine. Nos regards se sont croisés, et j'ai cru déceler dans le sien plein de blâme et de reproche. Il a traversé la cuisine, puis monté l'escalier pour aller dans la chambre, à l'étage.

« Je me suis dit: "Laissons-le retrouver son calme et sa nature". Les enfants étaient partis à l'école, sauf le petit. Ensuite, je me suis affairée à préparer le déjeuner. Je n'ai rien remarqué d'anormal. Au retour des enfants, j'ai mis la table comme d'habitude. Nous nous sommes attablés, sans nous apercevoir de son absence. C'est alors que l'aîné a demandé:

"Mais où est-*il*?"

Remarquez: il a dit *il*, pas *mon père*. Je lui ai demandé d'aller le chercher. Il est revenu quelques instants plus tard, annonçant que personne ne répondait de derrière la porte fermée. Je me suis sentie mal; une étrange idée m'est venue de je ne sais où: se serait-il fait quelque chose d'irréparable? Depuis son arrivée, il n'était pas dans un état normal...

« Je me suis précipitée vers l'escalier, suivie des enfants. J'ai forcé la porte. La chambre était vide.

– Mais où est votre père, les enfants?

– Il est peut-être dans la salle de bains.

L'un des enfants a vérifié: il n'y était pas. J'ai répété la question:

– Mais où est votre père?

– La valise qu'il avait en arrivant a disparu, a dit l'aîné.

– Peut-être qu'il est retourné d'où il était venu, a enchaîné le petit.

Un autre l'a disputé:

– Tais-toi, idiot. »

« Il s'est levé en secouant la tête. Maman était debout à côté de la porte de la cuisine. Elle s'est écartée pour qu'il passe. Il a disparu à l'intérieur.

« Je suis rentré à mon tour aussitôt après. Je ne l'ai pas croisé. Je suis allé dans ma chambre et j'ai sorti mes BD que je me suis mis à feuilleter pour la énième fois car je n'avais rien d'autre à faire pour m'occuper. Plus tard, j'ai entendu des bruits de pas venant de la chambre de l'étage. Les bruits ont cessé, alors j'ai pensé qu'il s'était endormi. Mais, peu après, j'ai entendu des bruits de pas discrets parvenant de l'escalier.

« J'ai immédiatement entrouvert la porte de ma chambre. D'un œil, j'ai pu le voir descendre doucement l'escalier, portant la petite valise qu'il avait hier en arrivant. Il a hésité un peu dans la cuisine, puis il est sorti par la porte arrière. Je l'ai suivi sans me faire remarquer, en me collant au mur. De l'ouverture de la porte du jardin, je l'ai vu se tenir un moment en plein milieu de la rue. Il regardait à droite et à gauche. Ensuite il a secoué sa valise, comme s'il venait de se résoudre. Il est parti à droite, en direction du boulevard. Je l'ai suivi du regard. Cet homme aux cheveux blancs, au dos courbé, qui est venu hier chez nous, qui a passé la nuit ici et qui m'a parlé un peu ce matin, je l'ai vu disparaître au loin. »

LEE ANDERSON

Poème
de Lamea Abbas Amara
(extrait de son recueil *Avant 2000*)

Bien triste semble Lee Anderson, et peiné
Lee Anderson n'est pas un leader connu
Ni une star ostentatoire
Ni l'auteur d'un crime qui l'aurait rendu notoire

Il possède simplement une palmeraie
À Indeo, en Californie orientale :
Ce palmier dattier est un « barhi »
Cet autre, un « khadhrawi »
Et voilà encore un « zahdi »
Ou bien, venu de Hilla*, un « hillawi »

---

* Ville d'Irak, près de l'antique Babylone, connue pour la qualité de ses dattes, appelées « hillawi ». (Les mots « barhi », « khadhrawi » et « zahdi » désignent trois autres des plus de deux cents variétés de dattes dénombrées en Irak.) (N. d. T.)

Lee Anderson amoureusement parle de ses dattiers
Il sait d'où vient chacun d'entre eux
Même sorti de Mésopotamie par des contrebandiers
Il sait que par grosse chaleur
Le fruit succulent se hâte de mûrir

Chaleur d'Indeo, fournaise de Bassora ou de
Bagdad
Nous rappelant cet irascible wali ottoman
Un jour de canicule pestant :
« Cet étouffant enfer, pour quoi faire ?
    – Pour que les dattes mûrissent, Votre Sei-
gneurie
    – Alors coupez les têtes des dattiers »

Avec Lee Anderson, nous échangions
Les nouvelles nombreuses des palmiers
Et revenions chargés de branches de « barhi »
Et de cartons de « khadhrawi » entiers

À la saison d'après-guerre
Lee Anderson fut affligé
Il venait de voir à la télé
À perte de vue, des palmeraies calcinées
Les dattiers, colonnes noires dressées
Comme des femmes portant l'habit du deuil
Comme ces veuves de Bagdad
Et ces mères de leurs enfants privées
À perte de vue tenaient debout les troncs brûlés
Tels des martyrs non enterrés

Pour être par le vent pleurés
Et rappeler que la guerre est une absurdité
« Même les palmiers en sont victimes ? »
Déplorait une femme éplorée
Même les palmiers sont victimes

Intonations de paradis temporaires

Nouvelle
de Lotfiya Al-Dilaimi

(extrait de son recueil
Les Oranges de Somaya)

La mère se garde de confier ses craintes à sa fille. Elle tente de lui dissimuler sa conviction de la « perte » de son fils et de son neveu sous les cieux lointains et épuisants du dépaysement. Zainab, elle, n'entend pas affronter la réalité avec la même intuition et le même calcul que sa mère. Mais son visage, naguère radieux, commence à dépérir dans la tendre et patiente attente. Un effondrement progressif s'insinue dans ses espoirs de la veille. Sa mère envisage le douloureux choix de lui parler de la non-pérennité des choses. Elle voudrait lui lancer à la figure : « Rien ne dure, ma fille » ; elle voudrait lui rappeler le vœu de son père sur son lit de mort : « N'abandonne pas ta mère et la maison, promets-moi de ne pas faire ce que nous a fait ton frère Salwan. » Elle souhaiterait lui dire tout cela et lui recommander de renoncer à tout espoir de retrouvailles hypothétiques.

« La maison est le centre de l'univers pour tout être vivant, ma fille. Tu l'apprendras peut-être plus tard, lorsque tu auras vraiment aimé, te seras mariée et auras enfanté. Tu le sauras certainement même ; tu verras que la maison est le cœur battant de l'univers, que d'elle rayonne l'existence et jaillit la vie », se borne-t-elle à répéter. Avant d'ajouter :

« Salwan a ignoré tout cela. Il a oublié tout ce que je lui avais appris. Le feu de l'irrésolution le brûlait ; il ne savait plus s'il valait mieux partir ou rester. Il a choisi de nous quitter, comme pour fuir un danger. Pour gagner quoi ? La pénible errance. Pas de maison, pas d'existence réelle. La solitude. Un individu indésirable chez des étrangers qui le prennent pour une espèce d'imposteur… »

Dix mois sont passés, et aucune lettre de Furat pour Zainab. Salwan, lui, a envoyé une carte postale élégante, présentant un beau parc de Rosenberg, la ville suédoise. De Furat, il ne souffle mot, se contentant d'indiquer au dos de la carte :

J'habite ici temporairement. Mon ami Alaa travaille comme agent d'entretien dans ce beau parc que vous voyez. Quant à Laith, il a été engagé comme serveur dans un restaurant arabe que possède un monsieur libanais. Lui et moi habitons dans le même logement. J'attends la décision me concernant : soit je serai maintenu ici, soit transféré dans une autre ville.

La mère est foudroyée, s'interrogeant avec effroi si son fils gâté a fini lui aussi nettoyeur ou garçon dans un estaminet.

Zainab ne se lasse pas d'aller chaque jour au bureau de poste plonger une main tremblotante d'appréhension et d'espérance dans la boîte aux lettres, pour n'en retirer que le vide. Rien. Aucune lettre, aucune promesse. Elle n'entend que sa mère martelant amèrement: « De nos jours, celui qui part ne revient jamais. De Salwan, je n'ai plus que l'intonation de sa voix au téléphone. »

Malgré cela, Zainab brosse dans sa tête l'image d'un véritable festival pour le retour de Furat, chargé de cadeaux, de fortune et de promesses ailées. « Il reviendra. » Les paradis perdus jailliront de ses bagages; l'oasis du retour de son bien-aimé abreuvera le désert de son existence, ragaillardira la fleur fanée qu'elle devient chaque jour davantage.

« Mère, dois-je acheter la robe de mariage ici, à Bagdad?

– Ne te précipite donc pas, ma fille, peut-être l'achètera-t-il là-bas. »

La mère ne dit pas ce qu'elle pense. Elle n'ose pas inquiéter sa fille en dévoilant le fond de sa pensée: loin de sa maison et des siens, l'homme a une âme chancelante et une raison déstabilisée; les lignes se courbent dans ses yeux et le rendent incapable de communier avec le ciel; les tracés des cartes géographiques se confondent à des chagrins inconnus et de nouvelles incertitudes; les liens de parenté croisent les lignes tortueuses des diktats du dépaysement; le passé s'étiole pour céder dans l'âme la place à un présent cruel; les hommes oublient et vont aux limites extrêmes de la rupture ; pourtant, ils pleurent dans un silence de pudeur et maquillent de rires crispés la nostalgie de ce qu'ils ont laissé derrière eux.

« Furat m'emmènera dans ces beaux pays. Nous nous promènerons dans les bois. Je verrai la mer. Nous t'achèterons de superbes cadeaux, maman. Je connaîtrai le paradis. Parfaitement, le paradis. J'en ai assez de l'obscurité de mes jours ici. »

Des dizaines de Zainab guettent des promesses paradisiaques volatiles. Des dizaines de Zainab sont les dulcinées épistolaires et téléphoniques de jeunes émigrés errants. Parfois, leurs familles les expédient comme des colis postaux vers Amman, à travers la route du désert, accompagnées de *mahrams** qui les livrent en bon état à des étrangers ayant conclu la transaction par voie de poste. Quelle honte, quelle flétrissure, quel avilissement que ce marché de chair fraîche se nourrissant de la guerre, du blocus et de la fuite massive des hommes !

« Nous t'enverrons une invitation pour que tu viennes nous rendre visite là-bas

– Je ne quitterai jamais cette maison, tu le sais bien.

– Ne voudrais-tu donc pas revoir ton fils, Salwan ?

---

* Un *mahram* est un homme qui doit accompagner toute femme partant à l'étranger.

– S'il veut me revoir, qu'il revienne. Moi, je l'attends ici. Je ne bouge pas. »

En sept ans, Salwan aura posé sa valise dans trois pays européens. Chaque départ aura été dicté par des dispositions et des intentions qui lui sont étrangères. Pendant ce temps, sa mère le suivra, non du regard, mais de la voix, lointaine et parasitée, parvenant de temps à autre au bout du fil.

Les Galeries de la mémoire

Roman
de Haifaa Zangana

(extrait)

De ma mère

Elle avait peur de l'obscurité, comme un enfant. Elle tenait à allumer toutes les lumières de la maison pour être certaine que nous allions bien, qu'elle-même allait bien. Un jour, elle m'a recommandé : « Lorsque je serai morte, entourez ma tombe de lampes. » Cette femme minuscule, à la taille petite, aux yeux noirs, aux lèvres charnues et au visage rond, cette petite femme n'aimait pas se promener seule dans les rues, ni dormir dans le noir. Cette petite femme a persévéré trois semaines durant sur le seuil du portail arrière du ministère de la Défense, auprès du bureau où l'on remettait les colis pour les prisonniers politiques et s'informait d'eux. Elle n'avait plus qu'une idée en tête : s'y rendre tous les jours de bonne heure, chargée d'un petit paquet en carton contenant une serviette, quelques vêtements et des boîtes de conserve. Chaque jour, elle quittait la maison à six heures du matin, laissant seuls ses enfants, son époux et sa maison.

Devant l'officier responsable, le sergent responsable, le soldat responsable, elle répétait inlassablement la même chose :

« Prenez le colis, s'il vous plaît. Elle a besoin de vêtements ; elle n'a rien emporté à son arrestation. » On lui répondait tout aussi inlassablement :

« On n'a pas de prisonnière de ce nom. »

Un jour, l'officier, le sergent et le soldat lui ont crié après :

« Et puis qui t'a dit que nous avons des prisonniers politiques ? Ne sais-tu pas que ce temps est révolu et que nous vivons l'ère de la Coalition Nationale ? »

Autour de la maison, à l'intérieur de la maison et dans ses moindres recoins, un étrange silence s'est installé. Les voisins se sont tus. Ils évitaient de croiser le regard de ma mère quand ils la voyaient rentrer chaque midi ; ils savaient d'où elle revenait. Ils évitaient ma mère craignant d'avoir à lui parler et d'être accusés de bienveillance ou de sympathie à son égard. Par prudence, ils ont fermé les portes de leurs jardins, verrouillé celles de leurs maisons et baissé leurs rideaux. Soudain, les petits mètres qui nous séparaient des autres sont devenus des lieues. Des lieues de circonspection, de méfiance et de peur. Soudain, les visites se sont interrompues.

Au bout d'une semaine, ma mère a cessé de poser des questions aux officiers, sergents et soldats. Elle s'est fait accompagner de sa fille benjamine. Toutes deux se sont assises devant le portail. Enveloppée de son *abaya** noire, assise par terre, elle transpirait des torrents de sueur, pendant que sa fille piaillait d'ennui et souffrait de migraine sous le soleil cuisant d'août. De six heures du matin à deux heures de l'après-midi. Tous les employés du ministère les ont vues, le matin en venant au travail, et l'après-midi, en le quittant. Leur présence ininterrompue a suscité interrogations et murmures. La plupart évitaient de les regarder et feignaient de ne pas voir le petit carton posé à côté. À un moment, un soldat a osé s'approcher et demander:

« *Khala***, pourquoi êtes-vous assise là ? »

Avant même qu'elle n'ait esquissé un début de réponse, le sergent en faction a ordonné à son subalterne de vaquer à son travail et s'abstenir de s'immiscer dans les affaires des autres. Au dixième jour, c'est l'officier qui a intimé au sergent l'ordre criard et ferme de déloger les deux intruses. De fait, le sous-off a réussi à les éloigner un peu: le lendemain, elles ont changé de point d'ancrage pour aller s'asseoir à quelques mètres du portail.

---

* Sorte de pèlerine, vêtement ample de voile noir ouvert à l'avant qu'utilisent les femmes pour se couvrir.
** En Irak, lorsqu'on s'adresse à une dame inconnue, on lui dit « khala », *ma tante. (N. d. T.)*

À la fin de la troisième semaine, dès que ma mère est arrivée, et avant qu'elle n'ait investi son emplacement habituel, le sergent l'a apostrophée :

« Bon, comment s'appelle ta fille ? Allons, donne-moi le carton et rentre chez toi. » Bouche bée, elle a fixé le visage dur et les moustaches épaisses du militaire, lui a remis le carton, puis s'est mise à pleurer.

Avec un rire radieux qui a illuminé son visage brun, elle a affronté la tristesse de mon père, sa colère et son amertume :

« N'avais-je pas dit qu'elle était vivante ? »

Des premières retrouvailles

Autour d'une cheminée orpheline, nous étions réunies. Des cercles et des cercles de femmes contraintes de cohabiter. Des cercles de corps avachis et de peaux flasques, ramollies par la peur de l'avenir, dégénérescentes à cause de l'incertitude. Des cercles d'un silence improbable, immuable, béat. Des traits vides et des yeux fixant le même point. Parfois, je les voyais, réveillées en pleine nuit, comme pour jeter à leurs jours et à la Terre, un ultime regard. Un adieu aux enfants et à la maison, un adieu même à l'affliction pénible déchirant la membrane du cœur et se substituant à elle.

« Bonjour.

– Tu as une visite. »

Oum* Wahid criait de sa voix pénétrante. Elle ne marchait pas, elle courait, gesticulant des bras et des mains pour ajuster son voile sur sa tête et l'empêcher de tomber, bien qu'il fût fixé au moyen d'une petite épingle en or que lui avait offerte une détenue ayant occupé ma cellule. Cette précédente locataire de ma cellule a été tuée un an après sa libération. Certains ont prétendu que son amant était l'assassin ; d'autres, que les autorités l'avaient supprimée. La nouvelle a été un choc pour Oum Wahid, qui s'est mise à se frapper le visage et la poitrine. Elle a ensuite demandé à la gardienne que nous appelions l'*Alwiyya,* de lui acheter pour un quart de dinar de halva de dattes. Ce soir-là, les prisonnières ont organisé la cérémonie funèbre d'*Al-Fatiha* et versé des larmes amères à la mémoire de leur ancienne codétenue ; la geôlière *Alwiyya* faisant office de pleureuse tout à fait crédible. Après avoir distribué le halva de dattes, Oum Wahid accepta les condoléances.

« Tu as une visite. Une visite ! »

Cette fois-ci, c'était la voix d'Oum Jassem qui m'exhortait. Pourquoi donc suis-je restée un moment figée, frissonnante ? J'ai quitté l'aile à travers le couloir en ciment pour atteindre la première cour, que j'ai traversée jusqu'au deuxième bâti-

---

* « Oum » signifie *mère* en arabe. (N. d. T.)

ment. Là se trouvait le bureau de la directrice et de la secrétaire et, attenant à celui-ci, la salle des gardiennes, ainsi qu'un dépôt. Je suis sortie de ce bâtiment pour me retrouver dans sa cour avant, vide, excepté quatre bancs moulés dans le ciment, deux gardiennes et deux gardiens.

Sur l'un des bancs, ma mère s'assit, tandis que mon père faisait les cent pas dans la cour, angoissé comme à son habitude.

Durant tout l'entretien, le spectre des questions indicibles pesait sur nous. J'aurais voulu leur demander des nouvelles de mes amis ; ils auraient voulu savoir ce qui m'était réellement arrivé… Finalement, nous nous sommes contentés de :

« Est-ce que tu vas bien ?

– Oui.

– Tu dors bien.

– Oui. Je vais bien et je dors bien.

– La nourriture est bonne ?

– Oui.

– Tu as besoin d'argent ?

– Non, merci. »

Nous étions là, tous les trois, à échanger un dialogue de sourds ne trahissant pas ce que nous voulions vraiment dire.

J'ai demandé des nouvelles de ma grand-mère, de ma tante, de mes frères. Ils m'ont demandé ce que je faisais tous les jours. Entre deux questions, ils échangeaient des regards inquiets.

« La visite est terminée. »

Pourquoi les mots ont-ils le goût de la mer et le pincement du départ ?

« La visite est terminée. »

Ma mère m'a étreinte, en susurrant d'une voix tremblotante :

« Est-ce qu'ils t'ont… agressée ?

– Non. J'ai été bien traitée. »

Elle a posé un regard dubitatif sur ma figure couverte de plaies purulentes et remarqué ma tentative manquée de me tenir droite. Ah ! comme je craignais sa tristesse tranquille, ses regards humides et son silence, ce silence qui me transperçait le cœur, plus cruel que tous les cris du monde.

« Une voisine m'a dit t'avoir vue dans une voiture allant à la morgue…

– Non, je n'y suis pas allée. »

Ils m'ont quittée, fatigués comme si la vieillesse s'était brusquement posée sur leurs épaules.

ÉCRITS…

Poème
de Siham Jabbar
(extrait de son recueil *Lignes croisées*)

L'oubli m'est revenu
De nouveau, je suis enceinte
De sa fille Mémoire

*

Le ciel était tombé
Alors les têtes l'ont émondé

*

De Beauvoir, et bien des femmes
Ont marché sur leurs fils
Et quitté le Théâtre des Marionnettes

*

Une femme se suspend dans l'air
Et aucune fenêtre ne s'envole de ses yeux

*

La guerre est faite à deux :
L'un est mort
Et l'autre aussi !

*

Les draps sont le dessus des maisons
En bas
Les yeux du sommeil frottent le souvenir

*

Moi… et moi
Des caissons de pleurs
Percés par la sage-femme

*

Nous sommes entrés dans le monde en cailloux
Qui nous lapident jour après jour

*

Pas d'amant tapi dans la foule
Seule une étoile brille de son humeur

*

Voici la guerre qui remet aux bouches
Sa bave asséchée

*

Il n'est pas mort
Il n'est que vivant
L'as-tu revu après tout ce brouillard?

*

Une femme est un homme et des poussières
Elle se tapit en dessous de zéro
Pour se libérer du surplus

*

Tenez... Prenez
Je suis montée, nous sommes descendus

Boum + boum +
Détonation
Tout cela, est-ce de la guerre?
Nous réveillerons-nous?

*

Du calme, cimetière!
J'ai encore du danger non survenu

*

Sur la banderole
Le pays renie
Les morts porteurs de banderoles

*

Fantassins? Où allez-vous?
On dit que l'on distribue de la guerre,
là-bas dans la rue

*

Cours et meurs
Puis cours et sois la flamme de ce marathon

*

Ma vie est passée, s'est effacée
Et je poursuis encore mon chemin

*

La scène:
Le héros retraité et son bourreau
Se réduisent en chiffres sur des surfaces de dés

*

Saute, voici une immense vallée
Appelée *Ta Vie*

*

Nul ne l'avait pleuré
Alors, il rassembla ses restes et partit :
Il était le dernier à mourir

*

Hâtez-vous de lapider :
Je suis la poétesse

*

Ils se sont fait veufs
Et leurs femmes sont veuves aussi !

*

Mourir, une tenue vestimentaire seyante
Ô vous, Monsieur Nu

*

Je suis un mort + une morte
Expirés par ta vie, ô mon amour

*

La guerre accouche
Et les mères élèvent

*

Demandez-lui combien de fois elle a accouché
Pour oublier sa stérilité

*

Ils ont enlevé la balançoire
Me laissant suspendue dans l'air

*

Qu'a vu le ciel
Pour larmoyer si habilement ?

*

Je recherche celui qui trouve
Pour lui livrer ma perte

*

La mort de mon bien-aimé
M'a foudroyée
Je suis devenue une tombe faite d'autres femmes

*

Des veaux nombreux sourient
À me voir conduite à l'abattage
Un chasseur mélancolique
Invoque la pointe du couteau

*

Je n'ai pas d'argent, ni de *boyfriend*
Je ne voyage pas
Je ne mange pas de ces mets gourmets
Que je découvre dans les magazines
D'ailleurs, je n'achète plus de magazines
Je n'ai rendez-vous avec personne
Mais je suis heureuse
Même dans l'acmé du bonheur
J'ai donné la vie à un papier inanimé
Et écrit des images étranges
Qui auraient mérité d'être peintes
Mais c'est ainsi que je les ai prononcées
D'une façon grandiose. Et j'ai souri
J'ai longuement souri
Pour une belle existence qui s'annonçait à moi :
Ma solitude…

Le Parfum de pomme

Roman
d'Irada Al-Jibouri

(extrait)

La chambre anti-pomme

Depuis que je suis tombé malade, je ne suis plus sorti acheter des piles pour mon poste de radio. À présent, il est complètement muet car je l'ai laissé allumé toute la nuit en m'endormant. Ah! si ma veuve de sœur était encore là, elle se serait débrouillée d'une façon ou d'une autre. Je ne sais pas comment, mais c'est sûr, elle se serait débrouillée.

Pas d'électricité. Pas de téléphone. Pas de calme. Les raids continuels ont fini par me faire douter de l'état de santé de mes oreilles. Est-ce que j'entends vraiment ces bruits, ou est-ce que je les imagine? Si ce que j'entends est vraiment vrai, où donc tous ces avions déversent-ils leurs bombes? Comment se fait-il qu'avec tous ces raids, mon tour ne soit pas encore venu?

Je m'interroge sur l'état des rues de Bagdad à présent. Tout le monde est-il parti? Pour aller où, en quel lieu hypothétiquement sûr ? Peut-être pensent-ils qu'ils vont le trouver hors de leurs âmes. Je crois que je délire. C'est sans doute la peur. Ou la crainte d'avoir peur.

Si ma sœur la veuve était encore là, nous aurions trouvé bien des sujets méritant conversation. Nous nous serions contentés de « tu sais déjà ci » et « toi tu sais déjà ça, pas besoin de ressasser » ; je serais retourné à mes livres, et elle, à son tricot ou à sa machine à coudre.

Ma sœur est partie avant de terminer le beau pull d'enfant bigarré qu'elle avait commencé à tricoter. Depuis deux semaines, le pull bigarré attend la suite sur la chaise, devant la machine à coudre, dans la cour de la maison. Depuis des années, elle n'a cessé de tricoter et coudre des vêtements d'enfant. De temps à autre, elle venait dans la chambre et me disait : « Regarde, j'ai fini les fringues du premier mois. Regarde comme c'est mignon, doux au toucher. »

Moi, je levais les yeux de mon livre du moment et échangeais un sourire avec elle. Elle restait immobile, passait lentement les vêtements sur sa joue pour en apprécier la douceur. Elle parlait du danger des boutons pour les nouveau-nés, disait qu'il fallait les remplacer par des scratches ou des rubans. Des rubans, c'était mieux. J'en convenais avec elle et exprimais mon admiration devant son art. Alors, elle se retirait, toute contente.

L'hiver, elle entama la confection du « trousseau de l'enfant », comme elle disait : des pulls, des robes, des bonnets… en pure laine vierge. Les bonnets, elle les doublait d'un tissu satiné. Elle rangeait le tout suivant une classification précise selon l'âge de l'enfant, la saison ou les occasions. Elle les rangeait dans sa grande malle en bois et prenait soin d'atomiser les pliures à l'eau de rose.

Chaque fois qu'elle finissait un « trousseau d'enfant », elle le donnait à une voisine, une copine ou une parente. Puis en entamait un autre.

Cette fois-ci, elle n'a pas terminé le pull. Elle était trop occupée par bien des choses. Puis elle avait hâte de se rendre auprès de son époux et d'apporter son « trousseau » à lui.

Ainsi donc, elle n'avait peur de rien ? Elle s'est simplement hâtée pour trouver la quiétude d'une autre façon, une quiétude autre que celle que lui procuraient les mailles du tricot et le bruit de la machine à coudre.

Pauvre sœur veuve ! Elle suivait assidûment tous les bulletins d'information, de toutes les radios. Pourtant, elle n'a pas réalisé qu'elle ne pourrait jamais allier la quiétude intérieure et la quiétude extérieure. Aucun système intérieur ne peut assimiler les avions, les bombes, les sirènes, la DCA…

Je m'en souviens encore. Elle ne voulait surtout pas mourir d'une « frappe » chimique. La question l'avait turlupinée des jours durant. Elle ne s'est rassurée qu'après avoir préparé sa petite chambre à l'étage. Elle avait suivi à la lettre les instructions de la défense civile. Tout ce qu'elle avait appris, elle l'avait appliqué à sa chambre, alors même qu'elle savait pertinemment qu'elle n'y serait pas quand la chose arriverait. J'ai songé à le lui faire remarquer, mais j'y ai renoncé. Je savais qu'elle le faisait pour se satisfaire elle-même, tromper son angoisse. Bref pour avoir l'esprit tranquille. Exactement comme lorsqu'elle s'affairait à fabriquer le « trousseau » de l'enfant et celui de son mari, qu'elle continuait à enrichir avec art et amour malgré le départ de son mari des années plus tôt.

Oui, j'ai voulu le lui faire remarquer. Mais je ne l'ai pas fait car elle savait que même si j'avais été capable de gravir les marches de l'escalier avec la désinvolture et la vélocité d'un homme sain de corps, je ne l'aurais pas fait de toute manière ; elle savait que je resterais dans mon lit en tout état de cause, sans bouger le petit orteil.

En débitant ses interminables recommandations, elle a insisté sur le fait qu'il faudrait que je me précipite dans sa chambre dès que je sentirais l'odeur de pomme. Elle a ajouté, mécaniquement mais avec beaucoup d'enthousiasme : « Je t'ai préparé de quoi boire et manger dans la chambre. Tu y trouveras une couverture en laine à côté d'une bassine d'eau. Humecte la couverture et accroche-la sur la fenêtre. Ne t'inquiète pas, j'ai bien cal-feutré les fenêtres et les extrémités de la porte avec des rubans violets. Tu dois t'occuper davantage de ta santé. Ton état ne me dit rien qui vaille. Cette pâleur, ce dépérissement m'effraient. Si tu n'étais pas aussi décidé à rester, je ne serais partie qu'avec toi. Écoute, mon frère, j'ai trouvé quelque chose qui t'appartient que j'ai placé dans la chambre. Tu seras content de le retrouver. C'est une surprise ! »

Lorsqu'elle s'apprêtait à partir, j'ai senti que j'étais jaloux de lui et de sa mort. Oui, absolument, sa mort. C'est parce qu'il est mort qu'elle le préfère à moi.

Comme je n'ai rien dit, elle a demandé, étonnée : « Tu ne me demandes rien au sujet de cette surprise ? » Je voulais lui dire qu'à mon âge, plus rien ne me surprenait. Mais je ne l'ai pas dit. Je voulais ajouter que j'attendais la catastrophe depuis tou-jours, une catastrophe inexistante pour celui sur qui elle s'abattait. Mais je ne l'ai pas dit. J'ai pré-féré la voir avaler son étonnement avec sérénité, comme d'habitude. Elle a bouclé sa valise. Avant de partir, elle est montée à toute vitesse dans sa chambre, puis est redescendue, haletante. « Dieu soit loué, j'avais failli oublier d'emporter le Coran », m'a-t-elle chuchoté.

Me faisant une tendre accolade, elle a dit : « Tu ne veux toujours pas changer d'avis et venir avec moi ? »

Sans attendre la réponse, elle est sortie en répétant: « Souviens-toi: la pomme. N'oublie pas le parfum de pomme. »

ÉTOFFES

Poème
de Gulala Nouri
(extrait de son recueil
L'instant où le dauphin s'endort)

La Terre est une étoffe
Qui nous coud une seule fois
Avec l'aiguille de la vie

Le rêve est une étoffe
Pour rideaux de fenêtres uniquement

Le poète est une étoffe
Hautement inflammable

Les livres sont des étoffes
Dissimulant dans leurs plis
Les parties génitales de leurs auteurs

L'amour est une étoffe
Pour saris indiens seulement

La vie est une étoffe colorée
Mais mes yeux sont en noir et blanc

Les amis sont des étoffes
Mais vainement
Nous en faisons des couvertures pour l'hiver

COMPAGNIE PRIVÉE
DE DOMESTICATION DES PORTS

Je vous prie de me radier du registre
Et me transférer à la Régie Nationale
De Conserves d'Humains en Boîtes d'Ânes
Et ce, pour les raisons suivantes :

1) Progressivement,
Se réduit ma part d'air
Car les créatures étranges continuent de naître
Je crains d'enfler jusqu'à devenir appendicite
Et que n'implose mon kyste

2) Nos confins sont infranchissables
Pourtant, des fourmis olivâtres les franchissent
Chaque fois que, recevant des averses de vin
Ils exacerbent leur ivresse
Dans l'illusion de l'enracinement

3) Notre société est privée
Et nos investissements sont publics
La contradiction engendre une nouvelle
Marie-Antoinette
Et puis… !

4) Chaque port
Est le port d'un port
Et moi, toujours, je tombe par mégarde
Dans la domestication

5) Vainement
J'attends chaque matin le coquerico des coqs
J'ai porté plainte :
On me dit : « Exerce le métier
De crieuse de cocoricos »

6) Le chef des dépôts
Se montre trop cruel avec les quais
Un jour qu'il avait oublié la clé sous mes pieds
Il m'a transformée en hangar

7) En températures élevées
Je respire la chaleur
Pour les rafraîchir, eux
Et en températures basses
Je danse énormément
Pendant que les domestiqués attendent
Que gèlent mes membres

8) Depuis ma nomination
J'attends l'Arche de Noé
Mais la Compagnie ne pond que déluges

9) Dans chaque port
Surgissent des rats rugissants
Et des baleines se limant les ongles

Sur ce
À vous la décision
Et à moi le pont

√ Copie envoyée au passé
√ Copie envoyée au présent
√ Copie envoyée à l'inconnu qui m'attend

LA GAMINE

*Roman
d'Alia Mamdouh*

(extraits)

Prologue

Seigneur, préserve-moi de la perfection pour que se perpétue mon besoin de construction et de constructeurs.

Seigneur, maintiens-moi dans l'espace du désespoir pour que devienne impossible mon sauvetage.

Seigneur, ne viens pas à mon secours lorsque glisse mon pied et s'enracine le mal, lorsque me guette l'ami avant l'ennemi et le médecin avant la maladie.

Seigneur, préserve-moi d'être l'égale du vainqueur, fût-ce d'un atome, ni du vaincu, fût-ce de l'épaisseur d'une particule d'écume.

Seigneur, fais que j'apprenne le gardiennage du malheur pour rembourser le loyer de mon âme.

Seigneur, laisse-moi dans l'extrémité extrême, entre contes et soupirs, pour que je me délecte du sang et du remords, de l'instinct et de la calomnie.

Seigneur, claque la porte à leur nez, à eux tous sans exception, pour que me soit interdit le pain de l'attente.

Seigneur, pourvois-moi de salive venimeuse pour que j'empoisonne mes proies coriaces, dote-moi d'une langue en curare qui ait la nostalgie des mots de Satan, d'une chair saine et d'un esprit qui secoue les vues et affaiblit les ennemis. Ainsi se parfera Ta providence.

Seigneur, fais que l'humeur soit modérée ; le préjudice, complet ; la graisse, épaisse ; l'os, saillant ; et le désir, vieillissant.

Seigneur, place sous mes yeux ceux-là et encore ceux-ci : les cheikhs et les corps ténus, légers et vulgaires ; les fonctionnaires, les édiles et les directeurs ; les hypocrites, les chasseurs de primes et de légions ; les cousins du clan, les chacals et les enfants de l'oncle maternel et tous ceux qui suivent leur pas ; ceux qui se plantent là : policiers, toubibs, sportifs, acteurs, affairistes, artisans temporaires et professions libérales provisoires ; ceux qui ont l'humeur froide, tiède ou sèche ; et surtout ceux qui provoquent mes vomissures.

Seigneur, délivre-moi de toute joie, de tout plaisir, de tout bien-être et de tout bon-être. Exacerbe la peine et étends l'injustice.

Amen.

[...]

« Sois ambassadeur. C'est mieux qu'amoureux. »

Ainsi m'avait parlé le chef du protocole du ministère des Affaires étrangères en me confiant le décret de nomination et les lettres de crédit de l'ambassade. Dans le miroir de l'ascenseur, je m'affrontai à ma forme : elle n'était pas ce que j'espérais, elle était identique à l'homme que j'étais. Je n'avais pas de plan pour en changer.

Il n'a posé aucune preuve sur mon bureau lorsqu'il m'a rendu visite au ministère, après la fin des heures d'ouverture, il y a de cela quelques semaines. Il se prenait pour un aumônier soucieux d'adoucir mes longues heures d'agonie.

J'écoute et fume calmement. Je sirote la tasse d'infusion de *citron de Bassora,* cette concoction que tu tiens à boire à chaque fois que tu viens me voir au ministère. Et à chaque fois, une fois que tu es partie, ma mélancolie décuple. Je sais que tu es capable de transformer toutes les boissons chaudes, tièdes ou amères en breuvage du paradis.

« Hein ! Tu ne m'écoutes pas ? Qu'en penses-tu ? Un an ou deux arrangeront tes papiers et tes affaires avant que... »

Sans résistance, sans mouvement, le sobriquet est braqué sur ma tête : amoureux et non aimé.

Je me prélasse sur le confortable siège de première classe du Jumbo. Oui, parfaitement. Les apparences doivent rester allumées, comme les lustres d'une maison cossue. Costume couleur de lait, chemise blanche immaculée, cravate d'une élégance rare. Il ne me manque que le chapeau et les lunettes noires pour paraître semblable aux fonctionnaires coloniaux du début du siècle. C'est dans cet accoutrement que j'ai été expédié vers l'un des pays du bloc socialiste.

Parfait. Plus de temps pour autre chose que la politique. Mais j'ai posé mes mains sur la table en souriant à mon vieil ami. Le chef de protocole te croisait en se dirigeant vers mon cœur. Il te humait, puis écrasait mon nez sous son pied pour m'empêcher de sentir ton parfum.

La politique a été mon certificat de décès ; et toi, l'heure de mes funérailles. Entre les deux, je continuais à écrire des poèmes. Mes aventures amoureuses avaient failli être ma seule politique. Mais à trente-neuf ans, soudain, l'âge de ma vie s'est arrêté.

Puis il y avait le parti. Partout où je posais le regard, il était là. Je me tournais, et il était encore là. Je me montrais réticent, et il m'aspirait. Et lorsque je devenais fou, il m'attendait. Toujours, durant la jeunesse, en pleines habitudes de romantisme et de conformisme, matin et soir, avant et après la sieste, le thermomètre baissait, alors le parti me baignait à l'eau froide pour tendre mes muscles. Ma rivière coulait dans le parti. Mes jours s'évanouissaient entre sections et bases, entre le secrétariat et le rituel de l'enthousiasme. De temps à autre, je ne répondais pas à l'appel. Non, ce n'était pas du louvoiement, mais, moi, je déclamais mes poèmes sans autorisation, avec une indépendance toute simple. Je les déclamais aux jours ordinaires, sur mon lit ou dans un bar. Je disais : « Moi, je... moi, je... » Et il me semblait être libre. Libre un jour de la semaine ou deux, avant les interrogatoires, les poursuites ou la menace de mise à pied. Mais à chaque fois, je recommençais et recommençais. Que d'années sont passées pendant que je recommençais. Je portais mes poèmes dans mon sac, comme dans les galas de bienfaisance. Mes dessins sortaient de l'infirmerie. Je me plantais devant le portail du parti comme un mendiant quémandant ses faveurs, que d'ailleurs il ne distribuait pas à pied d'égalité à tous. Je reprenais l'écriture, la portais comme un handicap. La poésie est devenue mon handicap. Je compensais par un excès de caprices et d'aventures amoureuses pour dissimuler mon désespoir. Le désespoir non du parti, de la poésie ou de nos points de départ du plan explosif, mais le désespoir des métaphores qui disaient la chose et son contraire. Je te répète cela à présent sans soulignements comme nous le faisions dans les réunions secrètes du parti ou encore devant les caméras de télévision, sur les podiums de cinéma et de théâtre ; comme je le vois à cet instant dans le ciel arabe, alors que je survole la sœur Syrie avant l'amie Turquie pour atteindre la camarade Prague, lieu de mon nouveau boulot.

Voici mon troisième gin tonic. C'est toi qui me l'as fait connaître. Mes sources s'étaient enracinées dans l'arak. Le bon *mustaki* m'inspirait les sautes de l'âme et les brûlures du cœur. C'est alors que la scène révolutionnaire s'est muée, le scotch devenant le moyen idéal pour le révolutionnaire de se connaître lui-même et de connaître les autres. Pendant ce temps, ma boisson favorite à moi continuait à me hanter ; je n'ai pas cessé de donner des cours sur les vertus de l'arak irakien. Les autres m'en ont voulu, toi y compris.

[...]

MÉMOIRES
D'UNE VAGUE HORS DE LA MER

Témoignage
de Dunya Mikhaïl

(extrait)

Tels des noctambules,
nous partons à la guerre
et nous enfonçons dans une profonde ordure.

*

L'enfant, en rêvant, entraînait son poing
en entendant l'appel rabâché :
« Frappe tes ennemis, frappe ! »
L'enfant s'est réveillé, a demandé à sa mère :
« Maman, cela veut dire quoi, *ennemis* ?
– Ce sont ces fantômes postés derrière la ligne et
qui braquent leurs fusils vers la lune.
– Mais la lune est commune à eux et à nous. Donc
ils visent seulement notre part de lune ?
– Oui. Parfois, quand ils atteignent la cible, plus de
sa moitié tombe. Alors la lune devient un croissant
de lune. Parfois elle disparaît totalement.

– Cela veut dire que parfois ils touchent aussi leur moitié de lune, leur moitié à eux ?

– Oui. C'est ce que l'on appelle *sacrifice* : ils sacrifient ce qu'ils ont pour détruire ce que nous avons.

– Pour gagner quoi ?

– Nous gâcher le profit.

– À quel profit, maman ?

– Nous condamner à la perte.

– À quelle perte ?

– La perte du profit, ou le profit par la perte de l'autre.

– Quand partirons-nous ?

– Partir où ?

– Là où la lune ne tombe pas. »

*

Hier, la lune est tombée dans le four et a cuit avec le pain.

Alors je me suis trompée en priant. J'ai dit :

« Notre Père qui êtes aux cieux, donnez-nous notre lune quotidienne… »

J'ai voulu corriger. J'ai dit :

« Pardonnez-moi si j'ai mangé la lune. »

Je sais que Vous êtes partout. Mais je guette Votre chanson comme si j'attendais un porté disparu.

Chaque jour, nous consignons nos vœux sur des bouts de papiers que nous plaçons dans un sac.

Est-ce vrai que le Diable emporte le sac chaque jour et le jette en Enfer ?

Arrêtez-le, Notre Père, arrêtez-le en chemin. Mais ne jetez pas les papiers sur nous; ils sont trop lourds.

Et même s'ils n'étaient pas lourds, ils nous rappelleraient nos mensonges. Vous nous avez recommandé de ne pas mentir, Notre Père. Alors ne nous laissez pas nous mentir à nous-mêmes avec ces billets doux.

Nos soldats ont poussé dans des terres non arables. Beaucoup ont volé vers le ciel. De leurs ailes pointues, ils ont transpercé les nuages – que les ennemis nous récusent – ce qui a déclenché les pluies de larmes des mères.

Que leur avez-Vous dit après avoir ouvert le ciel?

Vous nous avez recommandé de ne pas tuer, Notre Père.

Notre pays dort debout.

Son temps marche debout.

Son cœur bat debout.

Observons une minute de silence.

Ô pays qui possèdes les idées en aiguilles acérées, fines et piquantes.

À travers ton chas entre l'Histoire

et sortent des casques troués.

Les tremblements de ta terre ne cesseront-ils donc jamais, comme si des mains invisibles secouaient tes arbres nuit et jour?

Ils t'ont assiégé. De ton eau, ils ont chassé l'atome d'oxygène,

laissant seuls se battre les deux atomes d'hydrogène.

Les peuples n'auraient-ils pas dû se tourmenter de voir l'enfant fermer ses yeux et sa bouche avec résignation face aux « résolutions » des Nations unies ? Eh ! non. Ils ont tout juste écarté les lèvres un peu – moins que ne le feraient les bourgeons – comme pour bâiller… ou sourire.

À chaque étoile, nous avons laissé une place dans notre jour, et avons laissé les morts sans tombes.

Nous avons écrit tous les noms de fleurs sur les murs

et dessiné les herbes, notre aliment de prédilection.

Aux vents, nous avons tant tendu les bras que, désormais, nous ressemblons à des arbres.

Tout cela pour transformer les remparts en jardins.

Une abeille naïve y a cru ; elle a heurté le rempart en volant vers ce qu'elle croyait être un jardin.

Les abeilles doivent à présent voler plus haut que les remparts.

De longues files d'attente nous attendent.

Debout, nous comptons un à un les grains de farine entre nos doigts

et partageons le soleil dans des vases communicants.

Debout, nous dormons dans les files d'attente,

pendant que les experts songent à concevoir des tombes verticales, vu que nous mourrons debout.

Nous sommes un décor manquant de tout,

existerions si n'existaient pas les gouvernements.

Nos lianes ne grimpent aux murs qu'en rêve.

Des veuves rêvent de pélicans jetant les absents par la cheminée.

Des orphelins entrent dans des tunnels qu'ils prennent pour de longs baisers.

Chaque jour, nous louons Dieu, puis recevons le crachat de Satan

en priant pour la patrie, notre paradis perdu.

Chaque jour, les jarres sont remplies de lettres ou de guerres.

Chaque jour, nous brisons les jarres.

Les marchands de guerre vendent de l'air et glorifient des légions de bidons.

De jeunes filles peignent le blé, chaque jour, et tamisent les nuages dans leurs ustensiles.

Du coton leur pousse sur la tête, comme poussent les révolutions :

en robe blanche. Les jeunes filles ne savent plus si c'est un linceul ou une robe de mariée.

*

Le martyr ne crut pas ses yeux lorsque sa tombe fut bombardée.

Il tressait un laurier pour sa bien-aimée. Le laurier rougit, mais en chemin,

en montant au ciel, il devint une blancheur penchée sur l'eau et tenant un petit arc-en-ciel dans ses mains.

Ainsi le martyr joue sa mélodie.

Il tend les bras aux nuages et de leurs larmes tresse une rose.

Ainsi il chante.

Vague brisée hors de la mer, ainsi je suis mon chemin,

rêvant de villes lointaines que la maîtresse de géographie désignait sur l'atlas. Elle m'a demandé :

« Qu'est-ce qu'un pont ?

– Un pont, c'est la courbure d'une mère penchée sur son enfant tombé en même temps que les feuilles mortes de l'hiver ; sa larme est un frissonnement d'oiseau mouillé.

– Et qu'est-ce qu'une rivière ?

– Une rivière, c'est un cœur que personne n'a conquis mais qui reste déchiré entre ceux qui se disputent sa souveraineté. »

Des dynasties se sont succédées, puis ont disparu.

Et la rivière n'a jamais cessé de jouer avec les cailloux, indifférente aux guerres sur ses rives.

Parfois elle se dit : « Comme ils sont idiots, ceux-là qui se plantent continuellement à ma droite et à ma gauche. Et si je les jetais sur ces cailloux qui étaient autrefois leurs aïeux !

« Ce gros caillou rugueux aux protubérances saillantes fut naguère un roi ; et celui-là, doux et poli, une princesse. Quand ces idiots sauront-ils qu'en fin de compte ils se tiendront à mes pieds et que je jetterai loin leurs convoiteurs ? »

*

Les débris de glace, les débris de contes, les débris d'oiseaux et les cris des gens se sont rassemblés autour de cette femme, à l'hôtel Al-Rashid. Elle était morte.

Sinistre est toute pierre d'où ne pousse pas ta rose. Est-ce pour cela qu'ils aiment tant tes larmes, ma patrie ?

*

L'homme voulut faire quelque chose pour ses enfants. Il les envoya tous à l'abri, puis s'endormit. Il les vit en rêve, anges translucides sortant de la bouche d'un volcan.

Son sang se glaça dans ses veines d'angoisse qu'ils ne devinssent petits cailloux. Un enfant jeta le caillou, qui atterrit sur le bord d'un puits. Le caillou demeurera à jamais accroché au bord de l'abysse.

*

Les enfants du quartier frappent aux portes en quête de bougies.

Et les pions se retirent de la piste sans chaussures ni rêves.

Ce monde croit en la démocratie. C'est pour cela qu'il a octroyé aux morts la liberté de se promener dans les villes.

Toujours, je me lève pour ouvrir une fenêtre.

Sans doute suis-je née pour ouvrir des fenêtres ou me promener.

Seule, je fais l'inventaire des guerres-arbres qui ont éparpillé leurs fruits

devant les enfants. Les enfants en ont mangé; alors ils sont devenus vieux directement.

Amers sont vos fruits.

Quand songerez-vous à élever les enfants loin des arbres?

*

La mort a de nous la nostalgie.

Elle traverse les continents pour venir nous voir, les paniers de feu entre ses mains.

Elle nous donne des boules de soleil, avec lesquelles nous jouons jusqu'à oublier ce qu'est le soleil.

L'enfant continue de rechercher la lune pâle qu'un jour il a aperçue près de la fenêtre.

Sans doute est-elle tombée en son sommeil (« maman, ça veut dire quoi, *sommeil*? »).

Sans doute les vers l'ont-ils mangée (« ça veut dire quoi, *vers*? »).

Sans doute a-t-elle disparu avec l'électricité (« ça veut dire quoi, *électricité*? »)

*

Peut-être la tempête s'est-elle calmée. Peut-être n'a-t-elle pas encore commencé.

On nous a dit : « Remplissez les caisses d'air (respirez, expirez, rien de plus). »

Pour qui ? Et pourquoi attrister l'air ?

Pas de fruits pour porter notre couronne.

Pas d'ombre pour refléter notre existence.

Un bruit envahit la place, comme si une boîte était ouverte brusquement,

déversant des tas d'humains, de voitures et de caisses allant là où nous ne savons pas, là où ils ne savent pas.

DÉFENSE D'ENTRER – DÉFENSE DE SORTIR

Roman
de Salam Khayyat

(extrait)

« Tiens, Saïf, pose ces papiers sur le bureau de ton père. La clé de la pièce est accrochée à côté de la porte. »

Il prit la liasse et se dirigea vers le bureau, une petite pièce à l'étage. Les volets en bois de l'une des deux fenêtres dominaient le jardin, tandis que l'autre fenêtre, plus petite, donnait sur celui de la voisine, Oum Thorayya.

Saïf ouvrit la porte et sentit aussitôt l'odeur de son père. Cette odeur particulière, douce et légère, que son sens olfactif reconnaissait infailliblement, avait collé ses particules partout dans la pièce, et celles-ci y persistaient même depuis l'absence du père. Les rideaux avaient la couleur de l'été. Le bureau était bien rangé sous une couche de poussière trop fine pour indiquer que le maître de céans n'y était pas entré depuis plus d'un mois.

Il posa les papiers sur le bureau, sans se laisser gagner par la tentation de les feuilleter. La liasse contenait la pièce d'identité de son père, des photocopies du certificat de décès... Mais sa retenue commençait à faiblir et il éprouva un désir irrésistible d'ouvrir les tiroirs du bureau et de découvrir ce qui s'y cachait. « Sans doute ces tiroirs recèlent-ils quelques secrets de mon père. »

Il essaya le premier tiroir, qui s'ouvrit sans difficulté, découvrant des stylos, des encriers, du ruban adhésif, une agrafeuse, des crayons à dessin et à calligraphie non encore étrennés et une planche présentant une maxime inachevée en caractère joliment calligraphiés.

Le souvenir de son père éveilla en lui une nostalgie déferlante. Il eut une envie soudaine de le revoir et lui parler. Il passa au deuxième tiroir. Celui-ci était fermé. Il se mit à rechercher la clé, d'abord dans le premier tiroir, ouvert, puis dans le vase vide de toute fleur. Sans résultat. Sa curiosité s'exacerba. Le rythme de son cœur augmenta (qui l'aurait vu à cet instant aurait remarqué les pulsations sur sa tempe). On eût dit que la fermeture du tiroir aiguisait son appétit de savoir.

Il leva la tête. Son regard croisa celui de son père, dont le portrait à l'encre de chine occupait un pan du mur. Il l'étreignit du regard, comme pour obtenir sa permission, puis tâta le tiroir de nouveau. Il se résolut à forcer la serrure, voulant à tout prix découvrir ce qu'il dissimulait.

Il s'empara d'un petit tournevis qu'il remua avec application et patience dans le trou de la serrure. Celle-ci cliqueta; elle était déverrouillée. Il entendit alors comme un sanglot et scruta la pièce, circonspect. Personne. « Est-ce que les tiroirs sanglotent quand ils sont forcés ? »

Brûlant d'impatience, Saïf ouvrit le tiroir. Mais quelle ne fut sa déception en n'y découvrant que quelques papiers sans importance et un écrin… fermé à clé. « Zut ! J'arrache une serrure, et voilà qu'une autre pousse. » Il feuilleta distraitement les papiers et faillit les remettre à leur place lorsqu'une mention cingla ses yeux : *Ultra confidentiel.* Il se mit à lire :

Ultra confidentiel
Au nom de Dieu, clément et miséricordieux

Il a été décidé de renvoyer Saleh Al-Hadi, professeur à l'École Al-Maarifa, et ce pour les raisons suivantes :

1. *Outrage à inspecteur de l'enseignement durant l'exercice de son devoir;*
2. *Digression par rapport au programme en vigueur;*
3. *Incitation des élèves à la « rébellion » par le biais d'interprétation séditieuse des textes du programme;*
4. *Déformation du sens du Saint Coran lors de cours d'exégèse;*

5. Introduction de politique dans les cours;
6. Mise en danger de la langue arabe au nom de
la modernité.

La feuille trembla entre ses mains. Reprenant ses esprits, il lut le commentaire de son père, écrit de sa main en marge :

Pauvre de moi ! Chacune de ces accusations constitue un crime passible de la peine capitale.

Saïf faillit perdre sa consistance. Il relut le document, mot après mot, attentivement. Lorsqu'il déchiffra la signature de l'auteur, Ibrahim, il plongea dans un tourbillon d'interrogations sans réponse : « Ibrahim ? Qui est-ce ? Est-ce lui qui a donné un coup de fil mystérieux ? Qui ça pourrait bien être ? » Il songea à ce *Pauvre de moi !* de son père. « Serait-ce un appel au secours enfermé dans un tiroir fermé à clé ? »

Il se demanda aussi pourquoi son père n'avait pas lancé cet appel au grand jour, pourquoi il n'avait pas frappé à la porte des juges, dirigeants, décideurs, législateurs... Était-ce par lâcheté, par faiblesse ? Ou n'était-ce simplement qu'une sagesse que son jeune âge ne lui permettait pas de discerner ?

Une tristesse de linceul l'enveloppa un instant, puis se défit, nœud après nœud. Ses yeux tombèrent à nouveau sur l'écrin fermé. Nouveau sentiment d'impuissance: la boîte est hermétiquement fermée. « Il faudra la casser. » Mais, plutôt, il la tourna entre ses mains en quête d'une faille qui l'aiderait à l'ouvrir. Son doigt toucha un petit anneau collé sur la surface inférieure. Une petite clé, plus petite que la phalange de son doigt, y était attachée. Pendant qu'il la coinçait entre son pouce et son index, un étrange coup de froid, dont il ignora l'origine, traversa sa main. « Vas-y, ouvre l'écrin. Allez vas-y, qu'est-ce que tu attends, maintenant que tu as la clé? »

Ses doigts se contractèrent, puis se relâchèrent. « Attention! Laisse la boîte. Elle est pleine tant qu'elle est fermée. Une boîte ouverte est toujours vide. Alors laisse-la. » Il rattacha la clé sur l'anneau, remit l'écrin dans le tiroir et referma celui-ci doucement.

Les Amants

Nouvelle
de May Mudhaffar

(extrait de son recueil
Écrits sur pierre précieuse)

Comme chaque nuit depuis un mois, c'était une nuit chargée d'horreur et de barbarie. Révolu était le bon vieux temps de nuits de fête, nuits de secrets croustillants et doux murmures. Les raids nocturnes intenses ne laissaient aucune seconde de répit. Même le calme précaire entre deux bombardements était lourd d'appréhension. Les avions s'introduisaient sournoisement, insidieusement, subrepticement. Et la tempête tonnait d'un coup. Sans s'annoncer.

Dans cette modeste maison, les seize membres du clan s'étaient donné rendez-vous. Ils s'entassaient dans la seule pièce de la demeure à bénéficier d'un plafond renforcé, parqués tels des détenus dans un camp de concentration ou des réfugiés dans une tente dérisoire sur une frontière de misère. Être seul n'offrait plus la quiétude et la sécurité. Les membres de la famille partageaient le toit, le peu d'eau, la lumière parcimonieuse et la grande peur. Ils apportaient qui le sucre, qui l'eau, la farine, l'huile ou le pétrole à brûler. Quiconque possédait une maison retirée du cœur de la ville devenait l'hôte d'un abri familial improvisé.

C'est ainsi que les deux jeunes amants vinrent s'installer dans la maison-refuge. Ils rejoignirent le clan, fuyant la solitude et en quête d'un destin unique : émigrer ensemble, s'évader ensemble ou mourir ensemble.

Les autres pièces de la maison avaient été délaissées, au profit de cette chambre protégée de deux plafonds superposés. Mais les deux amants, en proie à une nostalgie de tendresse, choisirent de se retirer dans un coin éloigné de la maison. Après que les autres se furent endormis, eux deux, par un accord secret conclu du regard, se glissèrent dans une pièce secondaire.

Là, au milieu de leur clan, les deux amoureux assiégés cédèrent à la tentation de l'intimité. Une tentation exacerbée par la peur et magnifiée par l'instinct de survie, particulièrement en cette nuit de bombardement plus acharné que jamais. L'odeur de la mort rôdait près de la fenêtre.

Elle posa sa tête sur son épaule.

« Comme tes cheveux sont doux ! », lui chuchota-t-il.

Elle ne répondit pas. Il fit promener ses lèvres sur ses mèches, puis les descendit jusqu'à la nuque. Elle s'écarta, malgré elle, détournant le regard du côté opposé. Elle posa la tête en se prélassant sur un oreiller près du siège de son amant. Il se mit à baiser le bas de sa nuque, tentant de passer au dos.

Elle mit en marche le transistor, qui aussitôt expulsa une complainte mélancolique arabe. Lui s'empressa de baisser le volume :

« Tu vas réveiller les autres !

– J'aime bien cette chanson. Je veux l'écouter à fond, je veux… »

De quoi rêvait-elle ? Impossible de le savoir. Lui aussi était en plein rêve. Leurs rêves, dans le meilleur des cas, ne pouvaient dépasser l'instant présent et sa prolongation immédiate. Leur vie s'était réduite à un petit espace délimité par les quelques secondes du moment. Le passé était détruit ; l'avenir n'avait aucun visage. La nuit et le jour, tout autant, étaient sombres et mystérieux.

Un secret énigmatique la taraudait, turbulent. Ses yeux en brillaient, sous la lueur de la bougie. Ses lèvres esquissèrent un sourire équivoque, alors que sa tête engourdie frôlait le bras de son bien-aimé. Il cherchait à l'atteindre, puis à la posséder, dans la surprise de l'intimité. Elle était résignée, prête à se donner, mais lointaine aussi. Il scruta les lieux, à droite et à gauche, craignant de voir un enfant ou un adulte débarquer après s'être levé pour boire ou satisfaire un besoin urgent. Le silence et le calme dominaient, toutefois. Un moment rare de sérénité.

À ce moment, se tournant machinalement vers la fenêtre, elle fut effrayée par une lumière éblouissante à l'extérieur, aperçue à travers le minuscule espace laissé entre les rideaux tirés. Elle la lui désigna du doigt, le souffle et la langue coupés de peur. La lueur furtive dessina une traînée en courbe imitant l'éclair d'un sabre s'ébattant dans la nuit.

Il avait vu, lui aussi.

Il se précipita à la fenêtre pour méditer le spectacle. Elle le suivit, le trouvant aussi fasciné qu'elle. Désignant le ciel, il dit :

« Regarde, ce sont des rayons laser. »

Une effroyable détonation suivit aussitôt, qui les projeta en arrière. Le cœur battant, ils se collèrent l'un à l'autre, sans mot dire. Le souffle chaud de la jeune femme fit frissonner le corps tendu du jeune amoureux. Il la caressa pour la calmer et se calmer lui-même.

Une autre explosion retentit.

Désormais, tous savaient où se trouvait l'impact, d'après le point de départ du contre-pilonnage augmentant en crescendo. Selon l'écho, ils avaient appris à savoir si l'avion approchait ou s'éloignait. Les tonnerres de la DCA les terrorisaient encore plus que les avions.

Les avions, à moins d'être très proches, ne faisaient pas beaucoup de bruit. Enfin, c'est ce qu'ils pensaient. À leur approche, ils retenaient leur souffle et commençaient à compter: un, deux... vingt. Et boum ! Vitres brisées, portes secouées ou arrachées... Les estimations allaient alors bon train: « L'impact provient du centre de la ville », « non, de la périphérie nord », « moi je dis que ça vient de l'ouest », et ainsi de suite. Plus la maison tremblait, plus les membres de la famille se collaient les uns aux autres. Destin unique.

Les deux amants s'assirent sur la même chaise. Le nombre de détonations était, cette fois-ci, plus élevé que les nuits précédentes, tandis que la DCA paraissait moins vive, paradoxalement. À chaque projectile, ils s'étreignaient davantage, amalgamant leur fièvre de désir et leur fièvre de peur. Ils étaient un.

Un nouveau missile tonna:
« Celui-là est tout proche, comme hier.
– Peut-être ont-ils visé le pont de cette rive-ci.
– Mais le vieux pont est déjà détruit !
– Tu sais, on dit que c'étaient des aviateurs anglais qui ont bombardé le souk de Fallouja*...

---

* Durant la « guerre » du Golfe (début 1991), des pilotes britanniques avaient bombardé le marché de vendredi de Fallouja, petite ville située à environ cinquante kilomètres à l'ouest de Bagdad, faisant des centaines de victimes civiles. Plus tard, pour justifier leur crime, ils ont prétendu avoir voulu viser le pont de la bourgade, loin de plusieurs centaines de mètres du marché et qui, de surcroît, avait déjà été détruit plusieurs jours auparavant.

– Je sais. Les têtes des gens se sont mélangées avec les débris des carottes et des grenades. »

Une autre détonation, beaucoup plus puissante, assourdit les jeunes amants. L'impact, à quelques encablures de là, s'enfonça dans le ventre de la terre. Un silence suivit, qui leur sembla plus long que sa durée réelle. Ils purent se détendre, sans s'éloigner l'un de l'autre. Main dans la main, ils continuèrent à écouter la mort se déverser. Les explosions s'éloignaient de plus en plus, pour totalement se taire à l'aube bleue.

Un Homme derrière la porte

Nouvelle
de Maysaloun Hadi

(extrait du recueil du même titre)

Est-ce donc pour cela que les éviers sont toujours placés sous la fenêtre de la cuisine ? Est-ce pour que la femme plongée dans le tourbillon de la vaisselle puisse guetter l'arrivée, espérée ou redoutée, de quelqu'un ?

Elle se dit : « Il reviendra. Il faut qu'il revienne. »

Une sirène d'ambulance retentit. Son hurlement parvenait d'abord de plus en plus haut, de plus en plus proche, puis, après avoir atteint une sorte d'apogée sonore, commença à se dissiper progressivement avant de se taire totalement. La sirène la fit sursauter ; ses mains plongèrent dans l'épaisse couche de mousse flottant sur l'eau. Elle les releva et se mit à souffler sur les bulles en s'amusant à les regarder crever ou glisser sur sa peau sans exploser.

Le lave-linge avala un nouveau tas de draps, puis s'ébranla. Elle regarda encore à travers la fenêtre de la cuisine en direction du portail de fer laqué blanc, indistinct dans la faible lumière de la nuit tombante.

« Pourquoi est-il en retard ? »

Il avait l'habitude d'arriver sur un nuage, comme dans les contes. Il ne marchait pas, il volait. Sa chemise était blanche ; sa chevelure, blanche ; sa peau, blanche. Ses yeux noisette étaient pleins d'insolence et de peur. Elle l'avait invité à traverser le pont en silence pour mieux écouter l'opéra aquatique du fleuve. L'insolence quitta ses yeux, mais pas la peur.

« Pourquoi as-tu peur ? »

Il prétendit que la peur était une sagesse et une connaissance, que seul un ignare ignorerait la peur.

L'eau courante coula sur ses mains, évacuant les bulles, qui s'y dissolvèrent en exhalant sous son nez une traînée de parfum agréable.

Une étrange odeur parvint à ses narines, mais elle ne réussit pas à en situer la source. Elle n'aimait pas l'encens et personne d'autre à la maison pouvait en acheter.

« D'où vient donc cette odeur ? »

Elle fit le tour des pièces, d'une démarche lente, aux aguets, comme si elle redoutait la présence d'un inconnu qui l'épiait. Elle rassembla encore du linge dans la salle de séjour, l'engouffra dans le ventre du lave-linge, puis, à nouveau, jeta un regard vers l'extérieur à travers la fenêtre de la cuisine ; le portail blanc en fer lui rendit un regard glacé de statue.

Elle hésita avant d'ouvrir la porte du salon et laissa une main se promener dans ses cheveux. « Je vais me les faire couper. Oui, il serait temps. Ils sont devenus longs et abîmés. On dirait un tas de foin. Je les veux courts, à hauteur des oreilles, comme la femme de Dick Davis dans *Douce sera la nuit.* »

« Et pour *Madame*, ce sera quoi aujourd'hui ? »

« *Madame* ! Pourquoi les femmes, dans les salons de coiffure, font-elles semblant d'être heureuses ? Elles fument, elles rient, elles sirotent délicatement leur café. À la fin de la séance, quand la note leur est présentée, elles s'interdisent de protester ; elles auraient trop honte d'avouer s'être rendu compte du piège qui leur a été tendu sous forme d'hospitalité. Ah ! comme j'aimerais pouvoir enfoncer mon doigt dans la bouche de ce coiffeur et en extirper ce *Madame* qu'il mâchouille comme un chewing-gum, le jeter par terre et l'écraser. Ne remarque-t-il donc jamais que je ne fume pas, ne bois pas, ne ris pas et ne pose pas de clés de voiture sur mon sac à main ? »

« Mince ! »

Le sèche-cheveux se tut d'un coup, et la maison fut plongée dans une nuit noire. L'odeur d'encens se fit plus forte. La maîtresse de maison eut peur et resta figée, n'osant plus se mouvoir.

« Pourquoi est-il si en retard, me laissant seule ? Il sait que j'ai peur dans le noir. De plus, je ne sais pas comment utiliser la lampe à pétrole. Je ne sais même pas où elle est rangée. Lui seul le sait. Mais pourquoi tarde-t-il comme ça ? »

Elle entendit le fracas d'un choc près de la fenêtre. Son cœur palpita si fort qu'elle fut obligée de retenir son souffle le plus longtemps possible.

« C'est toi ? »

Point de réponse. Sans doute était-ce le chat jouant sur le climatiseur ou la chute de la théière, qu'elle avait posée trop près du rebord de l'évier.

Elle réalisa que la coupure du courant allait la sortir de l'épreuve de l'attente qui la tourmentait pour la noyer dans l'épreuve de la peur.

Que faire ? Comment étendre le linge ? Une lumière de phare de voiture pénétra furtivement dans la salle de séjour. Pour la première fois, elle songea au nombre d'automobiles fréquentant le quartier. Que de voitures s'arrêtaient à hauteur de telle ou telle maison, leurs avertisseurs pestant pour signaler leur arrivée. À chaque fois, elle se précipitait... pour ne percevoir que le regard blanc, glacé, de statue que lui lançait le portail de la maison.

L'odeur d'encens irrita son nez, qui protesta d'un retentissant éternuement. « À mes amours ! », s'exclama-t-elle.

Elle se leva, ses yeux s'étant quelque peu adaptés à l'obscurité. Le sèche-cheveux, qu'elle avait oublié sur ses genoux, tomba à ses pieds. Elle soupira d'ennui, puis s'immobilisa, irrésolue.

« Pour l'amour de Dieu, comment ai-je bien pu croire que le film de mercredi, avec Audrey Hepburn, était tiré de faits réels ? »

Rien n'est réel dans ces productions qui amplifient la force et exagèrent la faiblesse. Elle n'avait jamais vu un film dont les héros se comportaient, parlaient ou riaient comme elle le faisait dans la vie de tous les jours. Eux commandent un thé qu'ils ne boivent jamais et tournent honteusement le dos à leurs interlocuteurs. Dire que des critiques spécieux se croisent les jambes dans d'ennuyeux débats pour nous débiter des choses du genre « l'art ne ressemble pas à la vie ; il la reformule pour en donner la meilleure image ! »

« Bon sang ! Mais d'où vient cette odeur ? »

Comme un chat affamé, elle huma l'air profondément dans toutes les directions et réalisa que l'odeur provenait probablement du couloir menant à la chambre à coucher. « Comme c'est étrange ! » Quelques instants auparavant, elle avait entendu une sirène d'ambulance, puis senti aussitôt l'encens… Maintenant, elle se rappelait la femme aveugle esseulée du film du mercredi soir, pourchassée dans l'obscurité de sa propre maison par un intrus aux intentions meurtrières. Elle se dit qu'un fil conducteur devait lier tous ces morceaux sans rapport apparent qui parsemaient sa soirée d'une façon troublante.

De temps à autre, les lumières des voitures aveuglaient le séjour. Elle se morfondait en pensées noires qui creusaient dans son cœur de profondes rides de tristesse.

De toute la maison, elle ne laissa aucun linge non lavé, tant et si bien que le tas de linge propre dépassait en hauteur le lave-linge lui-même.

Elle entendit une voix lointaine disant « maman, maman… », suivie d'un bref passage de la chanson « les feux de l'amour », qui put provenir d'une voiture passée à toute vitesse.

Avançant vers la porte du séjour, elle trébucha avec le fil du sèche-cheveux. Elle débrancha celui-ci pour le poser dans la chambre, dont elle ouvrit la porte avec prudence. Le rythme de son cœur augmentait douloureusement. Elle respira profondément pour s'apaiser, puis poussa la porte promptement :

« Tu es là ? »

Mais point de réponse. Elle fit un pas lorsque son pied heurta une chevelure étendue par terre. Elle poussa un cri tellement strident qu'elle crut qu'il entraîna le retour du courant électrique : à ce moment précis, la lumière fut, le lave-linge se remit à tourner et la sonnerie retentit.

Elle criait encore pendant que la chevelure s'enchevêtrait entre ses orteils. Elle secoua le pied pour s'en débarrasser. Le clown en peluche vola ;

il était tombé par terre au moment où la fenêtre s'était ouverte.

« C'était donc toi ! »

Elle faillit le balancer d'un nouveau coup de pied, mais se ravisa, se baissa pour le ramasser et le reposer sur la coiffeuse. À travers la fenêtre, elle fixa la corde à linge. La rangée de chemises noires étendue à l'air chaud était sèche depuis un moment. Elle referma la fenêtre et se précipita vers la porte d'entrée pour ouvrir, tout en séchant ses larmes, de peur qu'on remarquât qu'elle pleurait.

CHRONIQUES DE BAGDAD

Extraits du journal
de Noha Al-Radhi,
rédigé lors des premiers jours de la
« guerre » du Golfe (janvier 1991),
publié dans la revue
An-Naqid *(Londres), numéro 87, août 1993.*

Quatrième jour

À cinq heures du matin, je suis réveillée par un raid aérien. Je vais chez Zaid apporter des nouvelles. Ses deux vieilles tantes sont là, qui semblent avoir cent ans. L'une d'entre elles s'est recroquevillée près de la cheminée; à côté d'elle, l'autre tante bavarde sans cesse.

Craignant les raids, nous choisissons de ne pas monter dormir dans les chambres à l'étage, préférant nous allonger, en tenue de jour, sur les canapés du salon. Exit lits confortables, adieu doux oreillers !

Les deux vieilles tantes ne semblent pas réaliser la gravité des événements. Elles se préoccupent des seuls besoins immédiats. Cependant, malgré la vieillesse et la faiblesse, elles ne manquent pas d'humour et d'activité. Leur téléphone fonctionne encore. J'en profite pour essayer d'appeler Soha et Assia, dont la maison est située au bord du Tigre, sur la rive faisant face à la raffinerie de Dora. La situation y est lamentable : un gigantesque nuage noir bas couvre tout le quartier. Personne n'a décroché après mon appel.

M. Moundher réussit enfin à faire fonctionner le transformateur chez lui, l'alimentant de quantités de cette essence devenue si rare et si chère. Nous sommes une dizaine plantés à côté, bouche bée d'admiration. Une machine vrombissante ! Nous sommes fascinés. Qui l'eût cru ? Quatre jours seulement après le début de la guerre, et déjà nous ébahissent la vue et le bruit d'une machine moderne ou d'un appareil électronique *qui marche*. C'est comme si nous étions en train de découvrir un engin débarqué de Mars.

Soha se met à expérimenter la préparation de *basturma** à partir de la viande qui lui restait dans le congélateur. [...]

Je fais cuire les pommes de terre sur la cheminée, au feu de bois, pour économiser le gaz. Les patates ont un goût fumé ; je reconnais qu'elles ont un peu cramé.

La nuit, le ciel est un pittoresque tableau. Les étoiles brillent de tout leur éclat entre les feux des bombardements et les déflagrations continuelles. J'espère que mon frère Dod et ma sœur Soul ne s'inquiètent pas trop. Je veux qu'ils sachent que

---

* Sorte de saucisse de bœuf, proche du *pastrami,* couramment consommée au Moyen-Orient.

nous sommes du genre accrochés à la vie et capables de survivre. [...]

Cinquième jour

Mounir m'offre un calendrier. On est le 21 janvier [1991]. Le portrait que je brosse de M. Moundher est presque achevé.

Mon vélo est enfin réparé. Il était tout neuf, mais livré avec des pneus crevés. Lorsque j'ai dit au réparateur que ma bicyclette n'avait encore jamais servi, il a dit que c'était normal, que tous les vélos neufs avaient les pneus crevés. Y aurait-il donc des gens au sein même de l'usine qui troueraient délibérément les pneus des vélos fabriqués ?

Mon vélo, fabriqué en Irak, porte la marque *Bagdad*. Encore heureux qu'ils ne l'aient pas baptisé *Ishtar*, ce nom étant devenu si banal, donné qu'il est à des tas de choses, réfrigérateurs, congélateurs, poêles de chauffage, allumettes... et même des hôtels. La fière déesse mésopotamienne admettrait-elle que son nom soit associé à d'aussi vulgaires objets ? Il semblerait que nous n'ayons pas assez d'imagination en matière de marques à attribuer aux produits fabriqués.

Désormais, nous utilisons le verger comme cabinet de toilettes, autant pour amender le sol que pour économiser l'eau, elle aussi de plus en plus rare dans les tuyaux.

Jeannette nous rend visite chaque jour. Elle soutient que les gens fuient vers les villages car, estiment-ils, ceux-ci représentent les lieux les moins risqués en temps de guerre. Elle regarde autour d'elle, puis décrète : « Chez vous, c'est comme à la campagne. C'est le plus bel endroit que j'aie jamais vu. Quelle chance vous avez là ! » Comme elle a raison ! Non, nous ne quitterons pas ce paradis. Car c'est un paradis.

Jeannette recherche de la compagnie pour la nuit. Elle a peur. Bassel est passé chez nous aujourd'hui. Je lui ai conseillé d'apprendre les méthodes primaires d'agriculture, en lui rappelant que nous étions revenus au Moyen-Âge. Il faut en tous cas trouver un moyen pour pomper l'eau de la rivière.

Bassel a cuisiné tout ce dont il disposait dans le congélateur et l'a donné à manger aux chats. Sa femme et ses filles ne s'intéressent plus à rien. Les gens partent effectivement pour la campagne, emportant leur congélateur sur une remorque. Sur les bords des routes, ils cuisinent les aliments fondus et les mangent. Quelle folie ! Qui pourrait nous ressembler ? Franchement, comment peut-on songer à traîner son congélateur derrière soi en fuyant des bombardements !

Les Irakiens pratiquent depuis l'antiquité l'emmagasinage de denrées. C'est devenu une coutume nationale. Comme nous ignorons toujours jusqu'à quand tel ou tel produit restera disponible au marché, nous achetons n'importe quoi en grande quantité. Beaucoup de gens rejoignent spontané-ment – que dis-je : machinalement – la queue de toute file d'attente qui commence à se former, sans savoir ce qui se vend à sa tête. Il pourrait s'agir de cirage, de savon, de tomates ou d'outils inutiles. Peu importe…

Nidhal a l'habitude d'annoncer, alarmée, l'épuisement de son stock de poulets dès lors que leur nombre tombe à vingt dans le congélateur.

Sixième jour

Je me réveille à cinq heures du matin, avec le début des bombardements, devenus routiniers. Au bout d'une heure, le raid cesse. Nous nous rendons à la station-service pour prendre la file d'attente et acheter de l'essence. Vingt litres nous sont accordés. Amal, qui oublie souvent ses lunettes, fait une marche arrière et heurte un mur. En quelques jours le pays s'est effondré. On dit que la vie semble normale en dehors de Bagdad. Combien de temps tiendrons-nous sous un tel déluge de feu ?

Cet après-midi, Mouaffaq et Alaa sont venus, accompagnés de Hind, celle-ci criant et pleurant hys-tériquement. Elle pleure et crie ainsi depuis plusieurs jours. À chaque raid, elle insiste pour que tout le monde l'accompagne à la cave et reste avec elle. Maintenant, elle veut traîner toute la famille (grand-mère, mère, frère et fiancé) derrière elle pour partir à Khanaqin*. Comme ils avaient refusé, le compromis a été de venir chez nous. Pauvre Ma'areb! Elle ne va pas bien fort et se plaint de ses yeux. Elle ne veut plus quitter sa salle de bains. En temps normal, elle prenait un bain cinq fois par jour, se frottant le corps de crème hydratante à chaque fois.

Je me suis dirigée vers la voiture: Hind continuait de pousser des cris tonitruants. Je lui ai signifié fermement que la nouvelle loi chez nous interdisait formellement les cris, le tabac et les armes à feu. Néanmoins, elle n'a pas cessé de hurler: « J'ai peur. Je ne veux pas mourir… » Ils ont quitté notre maison, à contre-cœur. On est au sixième jour. Sans doute aurons-nous de l'eau demain.

Septième jour

Ça y est, la catastrophe a fini par arriver: nous avons dû boire une bière non glacée. Nettoyant le congélateur, j'en ai retiré ce qui m'a semblé être une tonne de pain surgelé. Tout ce qu'il y avait, c'était du pain, des glaçons et quelques os pour Salvador**. […]

---

* Bourgade située près de la frontière avec l'Iran, à environ 180 km au nord-est de Bagdad. (N. d. T.)
** Nom que l'auteur a choisi pour son chien, en hommage à Salvador Dali. (Noha Al-Radhi est connue surtout en tant que sculpteur. (N. d. T.)

L'eau courante est de retour dans la tuyauterie. Mais la pression est trop faible pour remplir le réservoir placé sur le toit. Ce n'est pas bien grave. Au moins, on peut remplir des bassines et des seaux. Cependant, il faut impérativement veiller à bien faire bouillir l'eau à boire.

J'ai enfin achevé le portrait de M. Moundher. Une petite fête est organisée en guise de « vernissage ». Toute l'assistance me félicite, soutenant que le tableau mériterait un prix. Nous avons débouché une bouteille de champagne et mangé de la *meloukhiya* et d'autres délicieux mets. Il serait temps que la nourriture vienne à s'épuiser afin que nous cessions de trop manger. […]

Huitième jour

Le ciel est curieusement silencieux. Il est six heures du matin, et toujours pas de raid. Hier soir j'ai trop mangé. Je n'ai pas pu m'endormir car je me pourfendais de tristesse et d'amertume en songeant que le monde entier nous détestait à ce point, qu'il se réjouissait aussi cyniquement de notre destruction et de notre extermination. Des pensées profondément chagrines m'ont hantée toute la nuit. Il semblerait que nous ayons croqué un morceau bien trop gros pour nos bouches. *Ma* avance une théorie : « La planète Terre est gouvernée par deux minuscules États : Israël, avec sa puissance et son lobbysme écrasant, et le Koweït, avec son argent et son pétrole. »

Quel monde inique ! Serions-nous donc les seuls à avoir commis une faute ? Que de pays ont commis des horreurs : la Russie avec les Afghans, la Turquie en envahissant Chypre, Israël avec l'occupation de la Palestine et les invasions du Liban… Nul ne les a bombardés, ni sanctionnés, ni même n'a songé à les condamner. Nous, en revanche, c'est autre chose, on nous bombarde cruellement, avec une volonté d'annihilation affichée.

L'Irak a bien connu des hauts et des bas à travers l'Histoire. Ce n'est pas la première fois. Soul rappelle que notre Histoire est longue, riche en rebondissements et rebonds, bouleversements et turbulences. « À présent, au moins, Bagdad figure clairement sur la carte ; je n'aurai plus à expliquer aux gens à chaque fois où je suis née », souligne-t-elle. […]

Neuvième jour

Face aux calamités, que les réactions sont parfois drôles ! Hier soir, j'ai sorti et mis ma robe rouge. Ensuite, je suis allée prendre un bain avec ma ration d'eau. À ma sortie, je n'ai pas trouvé la robe rouge, alors j'en ai mis une autre. Ce matin, j'ai encore cherché la robe rouge, mais je ne l'ai toujours pas retrouvée. Comment a-t-elle bien pu disparaître comme par enchantement ?

Ce matin, tandis que les sirènes hurlaient, tante Jalila, assise dans une posture d'une sérénité toute ottomane, m'a demandé : « Pourquoi ne prendrions-nous pas le train de la ligne Toros pour partir à Istanbul ? » Elle pense que les trains roulent encore, alors que tout a cessé de marcher. Il faut dire qu'elle a été atteinte d'une surdité partielle. Depuis qu'elle a quitté sa maison, elle s'est installée chez Talal. Elle semble excessivement pensive. Sa maison est située en pleine ligne de mire, près de celle du vieux Henri. Pauvre Henri ! Je suis passée le voir pour le convaincre de venir se réfugier chez nous. Je l'ai trouvé livide comme un cadavre. Il a refusé de quitter sa maison. Il dit que ce qu'il craint le plus est qu'un raid le foudroie alors qu'il est sans pantalon. C'est pour cela qu'il organise soigneusement ses heures de bain. […]

Dixième jour

Bush dit : « Lisez sur mes lèvres. »

Bush, où est ta guerre éclair « propre » ? On est au dixième jour, et nous sommes encore vivants. Mais totalement détruits. Je crois que je ne laisserai plus jamais mes pieds fouler la terre d'Occident. Si tel est mon sentiment, moi qui ai été élevée et qui ai étudié en Occident, qu'en sera-t-il des autres? Je crois que j'irai en Inde. Certes j'y ai grandi, ce qui explique mon grand attachement à ce pays. Mais sans doute est-ce parce que je sais que les gens d'Inde sont extrêmement tolérants; je crois qu'ils ne refuseraient pas, eux, d'offrir l'hospitalité à des Irakiens. [...]

Douzième jour

Aujourd'hui, nous avons pu tirer de l'eau du robinet du jardin. Mais la pression est trop basse pour que l'eau parvienne jusqu'à l'évier de la cuisine. Nous avons rempli quantité de bassines et de seaux et les avons déversés dans le réservoir au-dessus du toit. Je remplissais les seaux que Mounir, en faction sur le toit, hissait avec une corde. Nous avons acheminé plus de quatre-vingts seaux de cette façon. C'était épuisant. Mes vêtements étaient trempés. Nous sommes ramenés à l'âge de pierre.

Treizième jour

Je commence à taper sur la machine à écrire à la lumière d'une bougie. Je ne distingue pas nettement les lettres. Ces feuilles seront sans doute difficiles à lire.

Soha et Ma sont allées au marché aujourd'hui pour acheter des lampes à pétrole. Elles ont été surprises par un raid. Les gens ont continué de vaquer à leurs occupations, comme si de rien n'était. La foule était même si nombreuse que Ma et Soha se sont perdues. On dirait que les gens d'Irak ne craignent rien.

Le pont de Bab al-Sharji a été pilonné. La déflagration a fait s'ouvrir les portes des immeubles alentour et voler en éclats les vitres de leurs fenêtres, éparpillées partout. Le désordre est total. [...]

Vingt-sept mille raids aériens ont été menés sur nos têtes jusqu'à maintenant. Le monde serait-il devenu dingue ? L'Occident n'est-il pas conscient de ce qu'il fait ? Je crois que Bush est un criminel de la pire espèce. Notre pays est totalement démoli. Qui a octroyé aux Américains le droit de commettre de tels bombardements ? Pourquoi nous haïssent-ils à ce point ? Si c'était le Koweït qui exécutait tous ces raids, je comprendrais. Mais tout ce monde ? Se seraient-ils donc tous ligués pour nous haïr ? [...]

Quatorzième jour

M. Moundher est décédé pendant son sommeil ce matin à l'aube. À présent, la guerre nous semble un incident lointain. Le drame immédiat occupe notre vie. Les nouvelles, les sirènes, les missiles et les bombes s'en vont, s'en viennent, sans nous secouer. C'est comme si c'étaient des événements se déroulant sur une autre planète.

Bien que M. Moundher fût cardiaque, hier il a monté les neuf étages de notre immeuble pour constater les dégâts. Mais, en réalité, c'est de chagrin qu'il est mort. Il n'avait pas pu comprendre pourquoi le monde voulait nous anéantir, et avec nous tout ce que nous avions construit ces cinquante dernières années.

Hier encore, il demandait à Ma avec insistance : « Pourquoi nous font-ils ça ? » […]

Quinzième jour

Toute l'eau que Mounir et moi avions transvasée hier dans le réservoir s'est déversée, fuyant d'un trou dans celui-ci. La fuite a causé des dégâts d'eau dans la salle de bains, située juste au-dessous. La catastrophe !

Les toilettes sont vraiment maudites. En trois ans de vie dans cette maison, on a changé trois fois de cuvette, fait plusieurs fois des réparations... Pourtant, les toilettes fuient encore. Quelle vie !

Je suis allée aider Amal à nettoyer son magasin, notamment en ramassant les verres brisés. Son frère avait placé des planches d'aggloméré pour remplacer les vitres.

Sur le chemin, j'ai aperçu le Pont de la République avec ses deux immenses cratères, d'où pendouillaient de nombreuses pièces de charpenterie et barres de fer pliées. J'ai réussi à m'emparer d'un morceau de missile tombé sur le bord de l'eau. Une foule immense était amassée sur le pont pour voir les deux cratères de près. Les sirènes ont commencé à siffler, mais personne n'a bronché.

Une oraison pour épilogue

N'avais-je pas dit que ces paroles n'étaient pas de moi ? En réalité, je n'ai fait que les emprunter à des femmes qui les avaient accouchées dans la douleur. Je les ai puisées dans cette terre sacrée qui avait enfanté Abraham, inventé l'écriture et décrété les premières lois. Et qui est à présent maudite, lapidée, fouettée et bannie derrière les barbelés.

Ces paroles englouties dans les ténèbres du siège, je les ai déterrées pour vous les dédier, à vous qui êtes dans les lumières. Je n'ai fait qu'assumer mon rôle de messagère. Une formule arabe empruntée au Coran dit : « Il n'incombe au Messager que de déposer son message. » Je joins une petite voix au cri sourd que ces femmes poussent depuis plus de deux décades. Ce cri qui va peut-être, à nouveau, mourir au milieux des rires stridents et méchants des chasseurs-bombardiers. Dans ce monde où les grands corrigent les plus petits à armes inégales.

Malgré la tolérance que l'on m'a enseignée depuis toute petite, et qui s'est raffermie depuis ces longues années passées en terre d'Occident, je me surprends à répéter, malgré moi, l'oraison que la jeune romancière Thikra Mohammed Nader a invoquée lors de la guerre précédente :

Les raids de l'Alliance frappent les églises
antiques
Qui avaient humé le souffle des croyants originels
La messe à Mar Matti* est donnée
Pour les âmes de ses propres victimes
Seigneur, ne leur pardonne pas :
Ils savent ce qu'ils font

---

* Le monastère de *Mar Matti* (Père Mathieu), près de Mossoul au nord de l'Irak, est un des plus anciens du monde. Il n'a pas échappé aux bombardements américains en 1991. Des moines y ont laissé leur vie.

TABLE DES MATIÈRES

Dans la même collection

BOLYA
Afrique, le maillon faible

JEAN-MICHEL CARRÉ
Charbons ardents – Construction d'une utopie

NOAM CHOMSKY
11/9 – Autopsie des terrorismes

NOAM CHOMSKY
*Le Bouclier américain – La Déclaration universelle
des droits de l'homme face aux contradictions de la
politique américaine*

RAMSEY CLARK, NOAM CHOMSKY, EDWARD W. SAID
La Loi du plus fort – Mise au pas des États voyous

KEVIN DANAHER
10 raisons d'abolir le FMI et la Banque mondiale

ISABEL VALE MAJERUS
*De quel droit ? Le Droit international humanitaire
et les dommages collatéraux*

ABDOURAHMAN A. WABERI
Moissons de crânes – Textes pour le Rwanda

AMIN ZAOUI
*La Culture du sang – Fatwas, femmes, pouvoir
et tabous*

À paraître :

NOAM CHOMSKY & EDWARD S. HERMAN
*La Fabrique de l'opinion publique – la politique
économique des médias américains*

EDWARD SAÏD & DANIEL BARENBOÏM
Parallèles et Paradoxes

WOLFGANG SACHS & GUSTAVO ESTEVA
Les Ruines du développement

Impression réalisée sur CAMERON par

BUSSIÈRE CAMEDAN IMPRIMERIES

GROUPE CPI

à Saint-Amand-Montrond (Cher)
en février 2003

Dépôt légal : février 2003.
Numéro d'impression : 030654/1.

Imprimé en France